TRIBUS, PEUPLES ET NATIONS

DU MÊME AUTEUR

La Question indienne au Canada, Boréal, coll. « Boréal Express », n° 4, 1991.

Renée Dupuis

TRIBUS, PEUPLES ET NATIONS

Les nouveaux enjeux
des revendications autochtones au Canada

Boréal

Les Éditions du Boréal remercient le Conseil des Arts du Canada
et la SODEC pour leur soutien financier.

Conception graphique : Devant le jardin de Bertuch.
Illustration de la couverture : Virginia Bordeleau, *Combat ou jeu ?* (détail), 1993.

© Les Éditions du Boréal
Dépôt légal : 3ᵉ trimestre 1997
Bibliothèque nationale du Québec

Diffusion au Canada : Dimedia
Diffusion et distribution en Europe : Les Éditions du Seuil

Données de catalogage avant publication (Canada)

Dupuis, Renée

   Tribus, Peuples et Nations : les nouveaux enjeux des revendications autochtones au Canada

   Comprend des réf. bibliogr.

   ISBN 2-89052-851-0

   1. Indiens d'Amérique – Canada – Relations avec l'État – 1951 – 2. Indiens d'Amérique – Droits – Canada. 3. Indiens d'Amérique – Terres – Canada. 4. Indiens d'Amérique – Québec (Province) – Relations avec l'État. I. Titre.

E92.D87   1997   323.1'197071   C97-941101-7

à Catherine, à Clara

Avant-propos

Depuis plus de vingt ans que je m'intéresse aux questions autochtones, je suis de plus en plus frappée de constater que, dès qu'on aborde ce sujet, l'émotion est omniprésente.

Des gens qui, par ailleurs, peuvent discuter de façon très rationnelle et posée de questions touchant l'environnement, la langue ou la fiscalité se révèlent incapables de parler des Indiens sans faire preuve d'une grande émotivité. Alors qu'ils acceptent spontanément de faire un effort d'analyse dans n'importe quel autre domaine, ils n'hésitent pas à exprimer des jugements sommaires, tout en affirmant leur ignorance de la réalité autochtone.

Bien des gens, également, sont incapables de considérer que les autochtones peuvent être autre chose qu'une source de problèmes qu'on n'arrivera à régler que par la manière forte. Dans ce cas, les autochtones deviennent les boucs émissaires de toutes les frustrations. On les perçoit comme des êtres qu'il importe de ramener à la raison, brutalement s'il le faut. Et on prône alors des solutions miracles : « Fermons les réserves et on n'aura plus de problèmes. »

Enfin, un grand nombre de personnes, la majorité peut-être, ne sait trop quoi penser, ne disposant pas de l'information nécessaire pour juger de cette question. Ces gens ne cherchent pas à se prononcer. Ils émettent avec un certain malaise des impressions qu'ils reconnaissent volontiers fondées sur leur ignorance du sujet.

Malgré leur diversité, toutes ces attitudes ont en commun de reposer essentiellement sur des impressions formées à partir d'une connaissance et d'une compréhension limitées en cette matière. Il ne fait aucun doute que la question autochtone a été négligée. On n'a pas encore accepté d'y consacrer le temps et les efforts nécessaires pour faire en sorte qu'on ait plus de prise sur les événements qui surviennent dans ce domaine.

En fait, il existe un problème de perception de part et d'autre. D'un côté, les autochtones ont tendance à rendre les Blancs et les gouvernements qui les représentent responsables de tous leurs malheurs. Un certain fatalisme s'est installé chez eux : les Blancs seront toujours ce qu'ils ont été par le passé, soit des pilleurs. La méfiance, quand ce n'est pas l'hostilité à l'égard des Blancs, prévaut en général.

De l'autre côté, la population blanche perçoit souvent les autochtones comme des citoyens jouissant d'un statut privilégié. Par contre, la méconnaissance de leur situation dans son ensemble occasionne chez les Blancs beaucoup de jugements à l'emporte-pièce. On retient, par exemple, que les biens possédés par un Indien à l'intérieur d'une réserve sont exempts d'impôts et de taxes. Mais les Inuits, quant à eux, doivent payer tous les impôts puisque les terres qu'occupent leurs communautés n'en sont pas exemptées par la loi fédérale. Et on ignore encore, en général, qu'un Indien ne peut jamais devenir propriétaire du terrain qu'il occupe dans une réserve, ni ne peut l'hypothéquer. De même, le ministre des Affaires indiennes détient toujours le pouvoir d'annuler le testament valablement fait par un Indien résidant dans une réserve, s'il estime que ce testament est frivole. On se rend compte que, loin de représenter ce que certains considèrent comme un régime de privilèges indus, ce statut particulier comporte des contraintes dont on ne trouve pas l'équivalent dans le reste de la société.

Dès qu'on prend conscience de cette situation, il devient clair qu'en réalité peu de gens verraient un privilège dans le fait d'être assujettis à un tel régime d'exception. Et comment pourrait-on prétendre que les autochtones constituent une catégorie de privilégiés de l'État, alors qu'on sait que leur situation socioéconomique est la plus mauvaise au pays, selon les statistiques officielles ? Il suffit de rappeler que les Indiens n'ont pas eu le droit de voter au Canada avant 1960 pour comprendre à quel point les premiers occupants de ce pays ont longtemps été considérés comme des citoyens de second rang.

D'autre part, attribuer globalement aux autochtones des qualités ontologiques qu'ils seraient les seuls à posséder, en se fondant sur une vision idyllique de leur passé où n'aurait régné que l'harmonie entre ces peuples, traduit une vision réductrice de la réalité historique. Je ne peux souscrire à une vision aussi manichéenne, qui tend à faire croire que les autochtones ne sont que bons et que les Blancs ne sont que mauvais. Bien sûr, il faut d'abord que la société reconnaisse sa responsabilité face au traitement qu'elle a réservé aux autochtones par le passé. Il faut ensuite qu'elle tienne compte de ce qu'ils veulent devenir collectivement. Les autochtones, eux, ont la responsabilité de déterminer ce vers quoi ils tendent et de travailler avec la société tout entière à le réaliser. Sans les non-autochtones, ils ne pourront y parvenir. Le mouvement devra se faire dans les deux sens si on veut combler le fossé qui continue de se creuser.

Car ces attitudes que l'on trouve aussi bien chez les Blancs que chez les autochtones encouragent le durcissement des positions. Les crises d'Oka, au Québec, de Gustafsen Lake, en Colombie-Britannique, et d'Ipperwash, en Ontario, sont des exemples tragiques de la détérioration des relations entre les autochtones et le reste de la société. Cela ne peut manquer de nous troubler, qui que nous soyons, autochtones ou non. Il est illusoire de croire que l'incompréhension se résorbera toute seule.

Le malaise que crée la situation actuelle est amplifié par la méconnaissance généralisée des données de la question, au Québec comme ailleurs au Canada. Cette méconnaissance est entretenue notamment par les médias, qui n'ont toujours pas réussi à traiter des questions autochtones comme d'un fait de société. La population a l'impression que toute question autochtone est forcément un problème et que l'on navigue de crise en crise. Or, les médias québécois tendent à renforcer cette perception en rapportant presque uniquement des situations d'actualité qui présentent une image négative des autochtones. Ainsi, ils retiennent surtout les événements susceptibles de faire la manchette, en général dans des domaines qui soulèvent les passions : les jeux de hasard, le commerce de l'alcool, des munitions et de la drogue, l'exemption de taxes ou les droits particuliers de chasse ou de pêche. Chaque nouvel événement semble traité comme un fait divers sensationnel, sans qu'il soit situé dans le contexte autochtone dans lequel il s'insère, ni dans la réalité sociale québécoise ou canadienne plus globale.

La société québécoise a besoin qu'on l'instruise de l'ensemble de la condition autochtone, de telle sorte qu'elle puisse se faire son propre jugement. Or, elle n'a pas disposé et ne dispose toujours pas de l'information à laquelle elle a droit dans ce domaine. Cette situation n'est pas propre au Québec, puisqu'on observe le même phénomène sur le plan canadien et dans les autres provinces.

Dans les années qui viennent, il faudra ni plus ni moins réécrire l'histoire du Canada. Jusqu'ici, cette histoire adoptait la perspective unique des Européens qui sont venus en Amérique. Nous savons maintenant que cette vision unilatérale de l'histoire officielle, telle qu'on la trouve notamment dans les manuels scolaires, est remise en question, et ce, pas seulement par les autochtones. Sans sous-estimer les difficultés réelles que présente une telle réécriture de l'histoire en l'absence de sources primaires autochtones, il apparaît maintenant que les textes historiques eux-mêmes se prêtent à d'autres interprétations que celles qu'on a connues jusqu'ici. Les décisions récentes de la Cour suprême du Canada en sont un exemple éloquent. Le plus haut tribunal canadien a indiqué clairement qu'il considère que les droits reconnus aux autochtones dans la Constitution canadienne, en 1982, représentent, au minimum, un fondement solide pour des négociations avec les gouvernements.

En effet, s'il est un domaine où le « gouvernement par les juges » est susceptible de s'exercer, c'est bien celui-là. Il est clair que les tribunaux n'hésiteront pas à intervenir dans les cas où il n'y aura pas de consensus politique. Cela ne signifie pas qu'ils donneront automatiquement gain de cause aux autochtones. Mais on sent bien que la Cour suprême est prête à donner un contenu à leurs droits, si les politiciens n'y arrivent pas ou ne font pas d'efforts pour y arriver. Il n'est donc pas étonnant de constater que la lutte des autochtones s'est déplacée sur le terrain judiciaire, puisque le recours aux tribunaux s'est révélé depuis une vingtaine d'années le moyen le plus efficace de faire reconnaître leurs droits.

Dans le contexte actuel, il est impérieux de comprendre ce qui a façonné les relations entre le gouvernement du Québec et les autochtones jusqu'ici. Voilà pourquoi je renvoie à maintes reprises dans ce livre à des textes politiques ou juridiques qui constituent la toile de fond avec laquelle on doit composer encore aujourd'hui. Connaître ces textes est essentiel si on veut avoir prise sur l'évolution politique et juridique de la fédération canadienne, et favoriser le développement global des communautés autochtones comme garant du maintien de la paix sociale, ainsi que l'établissement de relations entre les communautés autochtones et les communautés qui les entourent.

Les questions soulevées par les autochtones représentent désormais un élément inévitable dans le paysage politique canadien. Et il est certain que ces questions se poseront au Québec peu importe l'évolution de son statut politique. Que ce soit à titre de province canadienne ou de nouvel État, le Québec aura à y faire face.

L'idée d'écrire ce livre m'est venue des demandes croissantes d'information de la part de médias, d'institutions ou encore d'individus qui veulent comprendre les véritables enjeux des revendications autochtones, mais qui manquent d'outils d'analyse. Cet ouvrage ne fournit pas de réponses toutes faites à des questions complexes qui sont à peine posées à ce jour. Il n'entend distribuer ni récompenses ni blâmes. Il essaie plutôt de rendre compte de l'extrême complexité de ces questions laissées en plan pendant des siècles et qui refont surface à l'aube d'un nouveau millénaire. Il veut fournir des balises et mettre en perspective les interventions des acteurs de façon que le lecteur puisse poursuivre sa propre réflexion sur ces questions très controversées. En reconnaître et en accepter la complexité constitue la condition préalable pour aborder ce sujet.

CHAPITRE 1

Des survivants de l'histoire

Pourquoi les relations entre le gouvernement du Québec et les autochtones semblent-elles si compliquées actuellement? Sont-elles l'expression d'un malaise de la société québécoise? Sommes-nous en face d'un phénomène particulier au Québec? Pourquoi avons-nous l'impression d'aller d'une crise à l'autre quand nous entendons parler des autochtones?

Les relations entre les gouvernements au Canada, y compris celui du Québec, et les autochtones sont compliquées d'abord parce qu'on ne s'attendait pas à voir surgir ce problème. On a généralement cru, jusqu'à maintenant, que l'arrivée des Européens en Amérique avait réglé la question, une fois pour toutes. Après l'établissement des gouvernements européens, il semblait clair que les autochtones dépendaient désormais de ceux-ci, soit parce qu'ils avaient été conquis, soit parce qu'ils ne représentaient pas une forme de société suffisamment avancée. L'image que les manuels d'histoire du Canada ont dépeinte des autochtones a d'ailleurs contribué à nourrir des sentiments négatifs et des préjugés tenaces à leur endroit. Qui eût pu aisément concevoir quelque sympathie pour des êtres humains présentés comme cruels et dénués de tout respect pour des membres du clergé, par exemple? Les images des saints martyrs canadiens expirant aux mains des autochtones ont marqué des générations d'écoliers en Amérique du Nord. Une octogénaire montagnaise m'a souvent raconté, avec humour, le supplice que représentait pour elle la narration de ces atrocités par la religieuse titulaire de sa classe du cours primaire : « Toutes les petites filles se retournaient vers moi et me dévisageaient avec horreur, comme si c'était moi qui avais mangé le cœur du père Lalemant. »

Jusqu'à récemment, les autochtones appartenaient donc à l'histoire, et encore, sous un jour défavorable. On n'avait pas prévu qu'ils insisteraient pour se maintenir dans l'histoire qui continue de se vivre au gré des époques. On les avait figés dans un rôle passé et terminé. Or voilà qu'ils déclarent qu'ils n'ont pas l'intention de se contenter de ce rôle. On semblait avoir considéré que cette histoire autochtone, qui ne s'était pas « écrite » jusque-là, s'arrêtait en 1492 pour faire place à celle qui serait désormais écrite par les Européens. Toutefois, les autochtones n'ont visiblement jamais accepté qu'on sonne la fin de leur histoire collective. C'est ce qu'ils affirment de façon de plus en plus pressante, non seulement au Canada, mais partout dans le monde.

Depuis vingt-cinq ans, les autochtones revendiquent des droits sur des territoires qui couvrent les deux tiers du Canada. De plus, ils revendiquent une autonomie gouvernementale qui remet en question la répartition du pouvoir politique entre les divers ordres de gouvernement.

Des manifestations autochtones ont dégénéré en véritables crises politiques et policières. Ces crises, qui ont provoqué la mort de personnes, parfois chez les Blancs et parfois chez les autochtones, ont laissé des traces profondes d'incompréhension entre ces derniers et la population en général. De tels événements ont fait baisser le niveau de sympathie à l'égard des autochtones, pour peu qu'il y en eût. Ils ont également réveillé et renforcé des préjugés à leur endroit.

Non seulement les autochtones font valoir leurs droits et leurs revendications sur la scène politique canadienne et devant les tribunaux, mais encore ils ont décidé d'occuper toutes les tribunes internationales disponibles pour faire avancer leur cause. En cela, ils rejoignent un mouvement international autochtone. Qu'on pense à l'action menée par la Guatémaltèque Rigoberta Menchú Tum, prix Nobel de la paix, aux activités du mouvement de l'Armée zapatiste de libération, au Mexique, ou à la création récente de la Conférence circumpolaire réunissant des Inuits de tous les pays de cette partie du globe.

La situation déborde largement le cadre du Québec. On ne peut donc s'en tenir à une analyse de ces questions sous le seul angle québécois, ni y voir un phénomène exclusivement québécois. Il est clair, par contre, que l'affirmation politique du Québec depuis une trentaine d'années ajoute un élément important. En effet, les questions autochtones ne se posent pas exactement de la même manière en Ontario ou en Colombie-Britannique qu'au Québec. L'affirmation politique des gouvernements québécois successifs depuis la Révolution tranquille des années 60 — et ce, tous partis politiques confondus — a créé une pression sur le fédéralisme canadien à laquelle on n'a toujours pas trouvé de réponse. L'élection de gouvernements souverainistes au Québec depuis une vingtaine d'années accentue cette pression sur le Canada. Ainsi, les revendications des autochtones, qui elles aussi remettent en question l'État canadien, peuvent apparaître comme un élément perturbateur dans cette situation politique.

Pour arriver à voir plus clair dans cette dynamique complexe, il faudra remonter le fil du temps, reconsidérer des événements historiques et accepter de discuter en des termes contemporains de questions qui nous semblaient réglées depuis longtemps. On ne pourra pas se contenter de ce qui a été tenu pour acquis jusqu'ici. Ce sont justement ces acquis qui sont contestés par les autochtones partout dans le monde. Il faudra donc les traiter non seulement sous l'angle du Québec, mais aussi comme des parties d'enjeux beaucoup plus importants, tant sur le plan géographique que sur le plan sociopolitique. L'histoire nous enseigne de toute manière qu'il n'existe pas de dogme absolu ; la question autochtone au Canada en est une illustration. C'est ce que j'ai commencé à entrevoir il y a vingt-cinq ans.

Durant mes études, au début des années 70, je me suis intéressée au domaine du droit public. Relié au monde politique et aux activités qui s'y greffent, le droit public était alors considéré comme une chasse gardée des hommes. Parmi les avocats, ceux qui ne contestaient pas que les femmes puissent légitimement exercer la profession disaient voir ces dernières plus naturellement à leur place dans l'exercice du droit privé, et plus particulièrement du droit familial. En cela, le milieu du droit était un reflet de la société.

À l'intérieur du droit public, j'avais choisi de porter mon attention sur la question des droits fondamentaux, ce que le droit international appelait et appelle toujours « les droits de l'homme ». À la fin de mes études, ma volonté d'effectuer un stage dans ce domaine m'a conduite à explorer un volet du droit inédit, novateur, inconnu du droit canadien, et qui se révélera très controversé : les droits des autochtones du Canada. Il m'est alors apparu que cette question deviendrait un champ d'application de ce vaste ensemble des droits fondamentaux. J'ai alors dû constater que bien peu de juristes partageaient cette analyse. Tandis que, vingt-cinq ans plus tard, cette question se pose en des termes concrets et aigus, une certaine indifférence, sinon une résistance à l'analyse de ces questions, persiste, et pas seulement dans le milieu juridique.

Les recherches que j'ai entreprises comme stagiaire, et que j'ai poursuivies depuis, m'ont permis de faire un constat dont on commence à peine à entrevoir les conséquences. Alors que les autorités politiques canadiennes ont longtemps refusé de reconnaître un fondement aux diverses revendications politiques autochtones, et que les tribunaux, en général, allaient dans le même sens, le régime juridique, lui, a toujours comporté des éléments de reconnaissance de leurs droits. Autrement dit, le Canada a depuis toujours, envers les autochtones, des engagements qu'il a contractés en son nom propre ou qu'il a hérités de son passé colonial, même s'il ne les a pas respectés. Et si on a appliqué, pendant plus d'un siècle, une politique qui niait tout droit aux autochtones, on a pourtant négligé d'abroger les textes juridiques qui leur reconnaissaient ces droits.

Les engagements oubliés

Le droit canadien contient des éléments, souvent mais pas exclusivement anciens, qui ont toujours une valeur légale en cette fin du XXe siècle. Ils peuvent prendre la forme de traités, d'alliances, de décrets ou d'édits. De tels documents continuent d'avoir des effets juridiques en droit canadien parce qu'ils n'ont jamais été abrogés ou annulés.

La Proclamation royale de 1763 constitue un bon exemple de cette situation. Édit britannique adopté par le roi George III, juste après la Conquête de la Nouvelle-France par la Grande-Bretagne, ce texte reconnaît aux Indiens des droits d'usage sur des terres qui correspondent à des parties importantes du territoire québécois. La Proclamation a même été décrite comme une charte des droits des Indiens. Quels sont les droits reconnus par cette Proclamation? Sur quelle étendue du territoire canadien porte-t-elle? Quels autochtones peuvent s'en prévaloir? Voilà autant de questions qui font toujours l'objet de débats au Canada.

Un autre texte ancien invoqué par des Indiens hurons devant les tribunaux s'est vu attribuer une valeur juridique en 1990. Il s'agit d'un document signé par le général Murray au bénéfice des Indiens hurons, avant la capitulation de Montréal en 1760. Il a valeur de traité et est toujours en vigueur, même si les Hurons ne s'en sont pas prévalus durant des siècles. Nous verrons en détail, plus loin, que la Cour suprême a jugé que les Indiens hurons peuvent ainsi invoquer la liberté d'exercer leur religion et leurs coutumes qui est garantie par ce document.

Compte tenu de la façon dont les historiens et les juges avaient considéré ces éléments jusqu'ici, on en était venu à croire qu'ils étaient plus ou moins tombés en désuétude, et donc sans conséquence sur le plan juridique. Or, des procédures entreprises, au début des années 70, par des Indiens au Québec et en Colombie-Britannique pour faire reconnaître leurs droits territoriaux ont été l'occasion d'un changement radical de l'interprétation des tribunaux canadiens (sous la direction de la Cour suprême du Canada) et de l'attitude du gouvernement fédéral à cet égard. Ce changement n'est pas étranger aux pressions politiques de plus en plus soutenues des autochtones. Ces pressions ont amené l'insertion dans la Loi constitutionnelle de 1982 de trois articles distincts les concernant.

La reconnaissance constitutionnelle de 1982

La souveraineté de l'État canadien est partagée entre deux niveaux : le fédéral et le provincial. La Constitution de 1867 a attribué au niveau fédéral la compétence exclusive relativement aux autochtones (certainement les Indiens et les Inuits et peut-être les Métis) et aux terres qui leur sont réservées.

L'exercice de l'autorité fédérale a longtemps été considéré, y compris par les tribunaux, comme l'exercice d'un pouvoir discrétionnaire sur les individus et les collectivités autochtones. En d'autres termes, le gouvernement n'avait de comptes à rendre à personne en ces matières. Rien ne l'obligeait à justifier ses décisions ou ses actions concernant les autochtones, et ceux-ci se trouvaient à la merci du bon vouloir des politiciens et des administrateurs publics.

Or, la situation s'est transformée radicalement au début des années 80. À ce moment, la Cour suprême du Canada a statué que l'autorité fédérale avait plutôt une responsabilité de fiduciaire à l'égard des droits collectifs des peuples autochtones. Autrement dit, le parlement et le gouvernement fédéral sont redevables de leurs interventions et peuvent être tenus de verser des dommages-intérêts, en cas de manquement à cette responsabilité.

Par ailleurs, on sait qu'avant 1982 la Constitution canadienne comportait un anachronisme : c'est la Grande-Bretagne qui détenait jusque-là le pouvoir d'y apporter des modifications. Le gouvernement fédéral a entrepris de combler cette lacune et a amorcé en 1980 le processus de rapatriement de la Constitution au Canada. Des Indiens ont alors menacé de s'adresser à la reine si le gouvernement n'incluait pas dans son projet la reconnaissance de leurs droits. Rappelons que la reine est demeurée le chef de l'État canadien même après le rapatriement de la Constitution au Canada en 1982. Invoquant les traités signés avec la couronne britannique, d'autres Indiens se sont adressés aux tribunaux anglais pour obtenir une déclaration selon laquelle la Grande-Bretagne avait toujours une responsabilité vis-à-vis d'eux et pouvait donc exercer son autorité à cet égard sur le Canada. Les tribunaux ont conclu au contraire que les Indiens étaient sous l'autorité exclusive du Canada et que la Grande-Bretagne n'avait plus de responsabilité sur ce chapitre.

Les modifications apportées à la Constitution en 1982 représentent un revirement par rapport au régime antérieur. Chacune d'elles crée un précédent marquant :

- Les autochtones ont des droits particuliers du fait qu'ils ont occupé le territoire canadien avant les Européens. Ce sont les *droits ancestraux*[1].

- Les autochtones ont des droits découlant des traités signés avec les Européens, qu'il s'agisse de traités anciens ou récents[1].

- Les Indiens, les Inuits et les Métis forment collectivement des « peuples autochtones[1] ».

- Le gouvernement fédéral introduit un processus de conférences constitutionnelles qui doivent définir précisément les droits reconnus par la Constitution. Les autochtones sont invités à participer à ces conférences, mais ils n'y ont pas droit de vote[2].

- Les droits et les libertés garantis par la Charte de doivent pas porter atteinte aux droits et aux libertés des autochtones[3].

---

1. Article 35 de la Loi constitutionnelle de 1982.

2. Article 37 de la Loi constitutionnelle de 1982.

3. Article 25 de la Charte canadienne des droits et libertés.

Étant donné que ces droits sont reconnus et confirmés par la Constitution, ils sont protégés d'une façon particulière, ce qui a comme conséquence de les mettre, au moins partiellement, à l'abri des lois fédérales et provinciales. Ces précédents marquent une rupture avec la position antérieure du gouvernement du Canada. Elle entraîne un changement de cap fondamental pour les gouvernements fédéral et provinciaux, y compris celui du Québec, qui est assujetti légalement à cette nouvelle loi constitutionnelle en tant que province canadienne, même s'il s'en dissocie sur le plan politique.

Le nouveau rôle des tribunaux

Cette rupture engendre également un virage pour les tribunaux, et en particulier pour la Cour suprême du Canada, à laquelle on a confié la responsabilité d'interpréter la Constitution et donc la Charte canadienne des droits et libertés. Comme les droits reconnus aux autochtones depuis 1982 ne sont pas définis, c'est souvent à elle qu'il reviendra de déterminer dans quelle mesure ils ont préséance sur les lois.

Le recours aux tribunaux sera d'autant plus fréquent que les conférences constitutionnelles visant à définir les droits des autochtones n'ont pas donné de résultats tangibles, pour des raisons que nous verrons plus loin. Demander à la Cour de trancher, en lui soumettant une cause type qui fera jurisprudence, peut se révéler plus efficace que d'attendre le résultat d'un processus de négociation enlisé. Les tribunaux sont donc sollicités soit par les gouvernements, qui veulent faire établir dans quelle mesure leurs lois sont applicables face aux droits maintenant reconnus aux autochtones, soit par ces derniers, qui veulent faire établir dans quelle mesure leurs nouveaux droits constitutionnels les mettent à l'abri de ces lois. C'est ainsi que la Cour suprême est entrée, dans ce domaine comme dans d'autres, dans une période très active de définition de ces droits. On peut prévoir que cette période va durer un bon moment. En pratique la Cour va être appelée à délimiter, au fur et à mesure que des litiges lui seront soumis, la portée des concepts tels que les droits ancestraux, les droits issus de traités et les peuples autochtones.

Il entre bien sûr une dimension importante de calcul stratégique et politique dans ces recours aux tribunaux. Par exemple, tout ce qui touche aux droits de chasse et de pêche des autochtones est un sujet très sensible dans l'opinion publique. Qu'ils réglementent ou non la chasse et la pêche, les gouvernements font face soit à l'opposition de l'opinion publique, soit à l'opposition des autochtones. Dans ces conditions, il peut paraître moins dommageable, pour un gouvernement élu, de laisser les tribunaux décider si la réglementation s'applique ou non aux autochtones. En effet, le gouvernement peut alors invoquer le fait qu'il n'a pas le choix : il doit se conformer au jugement, tout en n'en portant pas la responsabilité. Alors que, si le gouvernement avait choisi de reconnaître les mêmes droits dans une loi, il aurait dû en assumer la responsabilité politique devant l'opinion publique, c'est-à-dire son électorat.

De leur côté, les autochtones, qui constatent que les sujets les concernant sont loin d'être au cœur des préoccupations gouvernementales, peuvent vouloir sonder ce que la Cour suprême du Canada est disposée à leur reconnaître. Se trouvant dans un rapport de force défavorable sur la scène politique et constitutionnelle, ils peuvent se servir des tribunaux pour savoir si les garanties constitutionnelles qu'ils ont obtenues leur accordent des droits que les politiciens refusent de leur reconnaître.

On a critiqué, par ailleurs, le rôle sans précédent que jouent les tribunaux depuis 1982. On a interprété ces changements constitutionnels comme l'introduction au Canada du gouvernement par les juges. Il est évident que ces changements ont attribué aux tribunaux un rôle plus grand d'arbitrage quant aux valeurs sociales, et bien des gens estiment que de telles décisions reviennent à des gouvernements élus et non à des juges nommés.

De nombreux jugements de la Cour suprême dans des causes ayant trait aux autochtones ont suscité, ces dernières années, un mouvement de surprise et d'interrogation, quand ce n'est pas d'inquiétude et de frustration, dans l'opinion publique. On entend, dans la population en général, mais plus encore dans des régions où vivent des autochtones, l'expression d'un sentiment de dépossession au profit de ces derniers. L'analyse de quelques-unes de ces décisions de la Cour suprême du Canada nous aidera à mieux comprendre leurs conséquences.

CHAPITRE 2

L'affaire Guerin : le fédéral doit rendre des comptes

En 1955, les 233 membres de la bande des Indiens musqueams vivaient dans une réserve de 416 acres située à l'intérieur des limites de la ville de Vancouver, en Colombie-Britannique. Ces terres de grande valeur avaient fait l'objet d'offres de location et d'achat de la part de promoteurs intéressés à les développer. À cette époque, les propriétaires du Shaughnessy Heights Golf Club étaient à la recherche d'un nouveau site pour leur terrain de golf. Le Canadien Pacifique avait avisé les autorités du club de golf que le bail qu'elles avaient signé ne serait pas renouvelé à son échéance en 1960. Devant relocaliser leurs installations, les propriétaires du club de golf souhaitèrent alors louer une partie de la réserve des Musqueams, en fait 162 acres. Ils engagèrent des pourparlers avec le ministère fédéral des Affaires indiennes, proposant les conditions suivantes : un loyer annuel de 25 000 $ pour les quinze premières années, la possibilité de renouveler le bail pour des périodes successives de quinze ans, avec un maximum de 15 % d'augmentation du loyer initial ; les améliorations apportées par le club, estimées à un million de dollars, reviendraient à ce dernier à l'échéance du bail.

Le ministère fédéral des Affaires indiennes avait décidé de tirer profit de la valeur de ces terres en les louant, ce qui pouvait représenter des revenus importants pour la bande indienne. Le ministère consulta alors les Musqueams. Plusieurs réunions eurent lieu entre les représentants du ministère et le conseil de bande en 1957, dont certaines en présence des propriétaires du club de golf. Après plusieurs mois de discussions, le conseil de bande accepta de céder ces 162 acres de terres de la réserve au ministère fédéral, qui les louerait ensuite au club de golf. La bande exigea toutefois de meilleures conditions, dont un loyer annuel plus élevé, qu'elle finit par accepter à 29 000 $, et l'abolition de la limite d'augmentation maximale du loyer (15 %). Selon la procédure prévue par la loi en pareil cas, une assemblée des membres de la bande devait se prononcer sur la cession de ces terres, ce qui fut fait le 6 octobre 1957.

Une fois l'accord de la bande obtenu, le ministère des Affaires indiennes poursuivit les discussions avec les propriétaires du club de golf. Des conditions moins avantageuses pour les Indiens furent finalement convenues le 22 janvier 1958, sans que le gouvernement fédéral n'en informe les Indiens ni n'obtienne leur accord. C'est le fondement du recours judiciaire que les Musqueams ont intenté contre le gouvernement fédéral.

La correspondance échangée entre les représentants du ministère fédéral des Affaires indiennes en Colombie-Britannique et les représentants du même ministère à Ottawa avant la signature du bail fait état de certaines clauses controversées. Ni cette correspondance ni le projet de bail ne furent portés à la connaissance de la bande, ce qui lui aurait permis de constater les disparités entre les conditions du bail que le ministère lui avait présentées et celles qui seraient réellement accordées au club de golf.

Le juge de première instance en vint à la conclusion, en 1982, que la bande indienne n'aurait jamais accepté de céder ses terres si elle avait connu les conditions du bail signé en son nom par le gouvernement fédéral en 1958. Il estima que la Loi sur les Indiens imposait au gouvernement fédéral une obligation de fiduciaire à l'endroit de la bande indienne des Musqueams, obligation à laquelle il avait failli en signant ce bail. En conséquence, il condamna le gouvernement à payer la somme de dix millions de dollars en dommages-intérêts à la bande.

Mais, comme nous l'avons vu, les tribunaux canadiens considéraient alors que le gouvernement fédéral n'était pas redevable de la façon dont il exerçait son autorité constitutionnelle sur les Indiens. C'est cette position que la Cour d'appel fédérale adopta, quand le gouvernement fédéral en appela du jugement de première instance. Dans un jugement unanime rendu en 1982, la Cour d'appel conclut en effet que le gouvernement n'avait pas d'obligation exécutoire en justice, c'est-à-dire que les Indiens ne pouvaient pas faire intervenir les tribunaux s'ils s'estimaient lésés par les gestes du gouvernement fédéral.

En 1984, la bande des Musqueams demanda à la Cour suprême du Canada de trancher cette question en dernière instance. Rejetant la conclusion de la Cour d'appel fédérale, la Cour suprême adopta plutôt les conclusions du juge de première instance. Ce faisant, la Cour suprême sonna le glas de l'immunité fédérale. En effet, le plus haut tribunal jugea que le rapport existant entre le gouvernement fédéral et les Indiens est un rapport fiduciaire qui oblige le gouvernement à rendre compte de ses décisions et le rend responsable de ses actions.

Selon la Cour, la Loi sur les Indiens, qui donne au gouvernement fédéral l'autorité de conclure des transactions avec des tiers au nom des Indiens, est l'expression de la responsabilité historique qui incombe au gouvernement de protéger les droits de ces derniers.

L'acte de cession signé par la bande des Indiens musqueams a donc fait naître une obligation de fiduciaire qui impose des limites à l'exercice du pouvoir discrétionnaire du gouvernement dans la gestion des terres pour le compte des Indiens. Cet acte de cession n'autorisait pas le ministère des Affaires indiennes à ignorer les conditions verbales discutées avec la bande et qui devaient, selon ce que la bande avait compris, être incluses dans le bail. Le gouvernement fédéral avait manqué à son obligation de fiduciaire envers les Musqueams en établissant, à leur insu, un bail à des conditions moins favorables pour eux et il devait dédommager les Indiens de la perte subie en conséquence. La Cour suprême confirma donc les dix millions de dollars de dommages-intérêts accordés par le juge de première instance aux Indiens musqueams, soit l'estimation qu'il avait faite de la perte subie durant les vingt-quatre années qui s'étaient écoulées entre la signature du bail en 1958 et le premier jugement rendu en 1982.

* * *

Le jugement de la Cour suprême dans l'affaire Guerin constitue un précédent de taille. Il faut s'attendre à ce qu'il y ait plusieurs causes semblables à l'avenir, d'autant plus que le gouvernement fédéral a adopté, en 1973, une politique visant justement à régler par la négociation ce qu'il appelle des « revendications particulières des Indiens ». Cette politique cherche à régler deux types de litiges auxquels le fédéral doit faire face : ceux qui résultent du non-respect des dispositions des traités historiques signés avec les Indiens et ceux qui mettent en cause la gestion fédérale des terres et des autres biens des Indiens.

Dans le texte intitulé « Dossier en souffrance », qu'il a publié en 1982, le gouvernement fédéral précise que cette politique relative aux revendications particulières tente de régler, de préférence par la négociation, les cas où il aura manqué à une obligation légale envers les Indiens. L'affaire Guerin est justement une illustration de ces cas. Quand on sait que plus de 250 revendications semblables à celles de l'affaire Guerin, déposées jusqu'ici par des Indiens au Canada, dont 58 au Québec seulement, sont actuellement étudiées par le gouvernement fédéral, on imagine aisément qu'on n'a pas fini d'en entendre parler. Comme le gouvernement fédéral ne reconnaît pas le bien-fondé de la majorité de ces revendications, il est probable que plusieurs de ces cas se retrouveront devant les tribunaux.

En fait, le jugement rendu dans l'affaire Guerin a ébranlé les fondements du système de tutelle mis en place depuis plus de deux siècles au Canada, selon lequel les Indiens étaient considérés comme des objets de droit et non comme des sujets de droit. Il est important de comprendre l'évolution du régime politique canadien depuis la Conquête britannique de 1760 pour saisir ce qui nous a menés jusqu'à ce jugement.

L'assujettissement des Indiens

Les troubles politiques persistants entre la population française conquise et le nouveau régime britannique établi après la Conquête avaient obligé la Grande-Bretagne à faire certaines concessions, consacrées dans l'Acte de Québec de 1774. Ces troubles politiques ne se sont pas résorbés et on a assisté à la division du Canada en deux provinces en 1791 : le Haut-Canada et le Bas-Canada (l'Ontario et le Québec actuels). L'Acte constitutionnel de 1791, qui marque cette division, introduit par la même occasion un régime parlementaire représentatif.

En 1796, la province du Bas-Canada adopte une ordonnance pour ratifier un traité d'amitié, de commerce et de navigation entre la Grande-Bretagne et les États-Unis, signé à Londres en 1794. Le traité Jay exempte de droits de douane les pelleteries qui traversent la frontière. Il exempte également de tout impôt ou droit de douane les effets personnels des Indiens qui passent et repassent la frontière et leurs marchandises, à l'exception des marchandises en balles ou autres gros paquets « qui ne sont pas communs chez les sauvages ». Au XXᵉ siècle, les Indiens ont tenté à quelques reprises de faire reconnaître par les tribunaux canadiens que les termes du traité Jay les exempte de tout droit de douane entre les États-Unis et le Canada. Ils n'y sont pas parvenus jusqu'ici. En effet, la Cour suprême du Canada a jugé, encore une fois, en 1996, que ce traité n'est pas valide au Canada, parce qu'il n'a jamais été ratifié par une loi canadienne, ce qui est la procédure régulière pour qu'un traité international soit incorporé dans la loi canadienne et reconnu par les tribunaux au Canada.

En 1803, on étend la juridiction des cours de justice criminelle des provinces du Haut-Canada et du Bas-Canada à ce que la Proclamation royale de 1763 a défini comme des « territoires indiens », soit au-delà des limites de ces deux colonies, et en 1821, on étend cette juridiction à la terre de Rupert. On réglemente également le commerce avec les Indiens en réservant au roi le privilège d'accorder des monopoles pour la traite avec les Indiens dans les terres situées entre la terre de Rupert et les limites des provinces du Haut-Canada et du Bas-Canada ou des États-Unis.

C'est à partir de 1830 que le système de réserves indiennes qu'on connaît aujourd'hui est instauré. La réserve est un ensemble de terres, appartenant ou non au gouvernement fédéral et régi par celui-ci, qui sont mises à la disposition d'un groupe d'Indiens. On légifère tant dans le Haut-Canada que dans le Bas-Canada à cet égard, et toute personne pénétrant sans autorisation à l'intérieur d'une réserve est passible d'une sanction.

Les désordres politiques qui continuent de se produire tant dans le Haut-Canada que dans le Bas-Canada et qui aboutissent aux troubles de 1837-1838 amènent la Grande-Bretagne à adopter, en 1840, l'Acte d'Union, qui réunit ces deux provinces.

À partir de 1850, on adopte des lois qui visent à protéger les terres et les propriétés des sauvages dans le Bas-Canada. On y édicte alors les critères pour être reconnu indien au sens de la loi, lesquels diffèrent pour les hommes et pour les femmes. On crée, comme on l'avait fait pour le Haut-Canada en 1839, la fonction de commissaire des terres des sauvages dans le Bas-Canada, qui est investi de la propriété des terres mises de côté pour l'usage des Indiens de cette province. La même année, on signe avec des Indiens du Haut-Canada les deux premiers traités de cession de terres, qui serviront de modèle au Canada après 1867 : le traité Robinson-Supérieur du 7 septembre 1850 et le traité Robinson-Huron du 9 septembre 1850. Ces traités reposent sur la cession, par les Indiens, de leurs droits territoriaux sur leurs terres

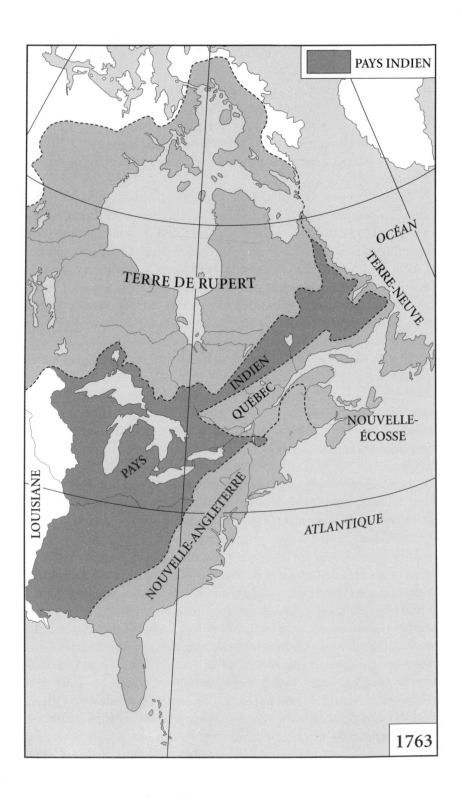

PAYS INDIEN

TERRE DE RUPERT

OCÉAN

TERRE-NEUVE

PAYS

INDIEN

QUÉBEC

NOUVELLE-
ÉCOSSE

LOUISIANE

NOUVELLE-ANGLETERRE

ATLANTIQUE

1763

traditionnelles en échange de compensations monétaires minimes et de réserves indiennes[1].

En 1851, des terres d'une étendue pouvant atteindre 230 000 acres sont mises de côté pour les Indiens dans le Bas-Canada, et l'on prévoit le versement de rentes annuelles qui ne doivent pas excéder 1 000 louis courants et qui doivent être réparties entre certaines tribus. Onze réserves indiennes y sont créées en vertu de cette loi.

Diverses conceptions ont cours, à cette époque, au sujet de l'avenir des Indiens : certains favorisent un contact immédiat de ceux-ci avec les colons blancs, alors que d'autres croient nécessaire de les isoler d'abord pour les civiliser, avant de les mettre en contact avec les Blancs. C'est cette dernière thèse qui est retenue.

Les provinces du Canada, de la Nouvelle-Écosse et du Nouveau-Brunswick décident, en 1864, de former une fédération. La Grande-Bretagne donne suite à la volonté de ses colonies en adoptant l'Acte de l'Amérique du Nord britannique, en 1867, lequel constitue le texte de base de la Constitution canadienne encore en vigueur aujourd'hui. Ce texte est maintenant connu sous le nom de « Loi constitutionnelle de 1867 ».

Le Canada poursuit, après 1867, la politique impériale britannique qui consiste à signer avec les Indiens des traités de cession de leurs droits territoriaux. Entre 1871 et 1923, le Canada signera une série de traités (numérotés de 1 à 11, de même que les deux traités dits « Williams ») conçus selon le modèle adopté par la Grande-Bretagne. Ces traités couvrent la partie du territoire canadien qui va de l'Ontario à la frontière de la Colombie-Britannique. Aucun de ces traités ne porte sur le territoire du Québec, de la Colombie-Britannique, des Provinces maritimes et du Yukon, un territoire fédéral. On laisse ainsi la question des droits des autochtones en suspens sur une grande partie du territoire canadien.

En 1870, un arrêté en conseil impérial transfère au Canada la terre de Rupert qui lui avait été rétrocédée par la Compagnie de la baie d'Hudson. On y décrète que toute indemnité à verser aux Indiens pour les terres qui seront requises pour la colonisation devra être payée par le Canada de concert avec le gouvernement impérial, qui libère la Compagnie de la baie d'Hudson de toute obligation sur ce chapitre.

---

1. Voir Renée Dupuis, *La Question indienne au Canada*, Montréal, Boréal, 1991.

Comme on le fait alors pour l'Ontario, cette disposition est reprise en 1912 dans la loi qui étend les frontières du Québec en lui annexant une partie de la terre de Rupert. Le Canada transfère alors au Québec son obligation vis-à-vis des Indiens, à savoir que le Québec reconnaîtra les droits des habitants sauvages de ce territoire et obtiendra la cession de ces droits de la même manière que le Canada l'a fait jusque-là, soit par traité. La province doit de plus acquitter toutes les charges et dépenses rattachées à cette remise. La remise des droits devra toutefois être approuvée par le gouvernement fédéral, qui demeure responsable de la tutelle des sauvages et de l'administration de toutes les terres réservées pour leur usage.

En 1931, une loi du parlement du Royaume-Uni, le Statut de Westminster, consacre l'indépendance du Canada en lui reconnaissant les pleins pouvoirs législatifs. Cette loi empêche désormais le parlement du Royaume-Uni de légiférer pour un dominion, à moins que celui-ci ne l'ait demandé et n'ait accepté le contenu de la loi demandée. Rappelons cependant que le Canada n'est devenu totalement indépendant du pouvoir législatif britannique qu'en 1982, par l'effet du rapatriement de la Constitution.

Un régime de tutelle

En 1876, le parlement du Canada consolide les diverses législations antérieures relatives aux Indiens en adoptant la Loi sur les Indiens, laquelle instaure un régime de tutelle, qui est à peu de chose près le système qui prévaut actuellement. Ce régime met les Indiens (tant les individus que les communautés) de même que les terres des réserves sous la tutelle du gouvernement fédéral.

En vertu de ce régime, les Indiens sont considérés comme des personnes mineures sous l'autorité du gouvernement fédéral. Cette autorité détermine, entre autres, le statut d'Indien, des règles concernant les testaments, la structure politique du conseil de bande, la gestion des réserves et les exemptions de taxes.

En 1951, le gouvernement fédéral ajoute un élément important à ce régime en décrétant que les lois provinciales générales s'appliquent, à certaines conditions, aux Indiens dans leurs réserves, dans la mesure où elles n'interfèrent pas avec une loi fédérale, un règlement adopté par une bande ou un traité signé avec les Indiens. Dans l'exercice de sa compétence, le gouvernement fédéral a ainsi choisi de soumettre les Indiens à l'autorité législative des provinces, ce que les Indiens contestent toujours.

D'autre part, les conseils de bande disposent du pouvoir, délégué par le parlement fédéral, d'adopter des règlements, mais ce pouvoir demeure soumis au pouvoir de désaveu du gouvernement fédéral. Ils peuvent faire des règlements qui s'appliquent à l'intérieur de leur réserve dans les domaines énumérés dans la Loi sur les Indiens, comme la santé, le maintien de l'ordre, l'urbanisme et la taxation des membres de la bande.

Ce pouvoir de réglementation chevauche des domaines de compétence attribués aux provinces. Conséquemment, cela met les Indiens en concurrence avec les gouvernements provinciaux et crée, du moins dans l'esprit des citoyens, une confusion difficile à dissiper. Dans le domaine de la sécurité routière, par exemple, trois régimes peuvent se superposer et s'appliquer de façon parallèle au Québec : le règlement fédéral sur la circulation dans les réserves indiennes (qui incorpore en partie le code provincial de la sécurité routière), le code de la sécurité routière du Québec et le règlement d'une bande sur la sécurité routière.

Les Indiens, des citoyens comme les autres ?

La publication, en 1969, d'un Livre blanc par le ministre fédéral des Affaires indiennes, Jean Chrétien, a constitué un tournant dans les relations entre les gouvernements et les autochtones du Canada. Celui qui deviendra le premier ministre du Canada en 1994 disait vouloir régler « le problème indien » en favorisant leur intégration complète à la société canadienne sur un pied d'égalité avec les autres Canadiens. Cette intégration devait se faire par le transfert aux provinces de la compétence fédérale sur les Indiens et leurs réserves. Le gouvernement fédéral entendait se départir de sa responsabilité à leur égard, abolir son ministère des Affaires indiennes, abroger la Loi sur les Indiens et mettre fin au statut d'Indien et aux réserves. Nous verrons, au chapitre 10, que ces visées canadiennes correspondaient aux normes internationales prévalant à cette époque. La convention n° 107 de l'Organisation internationale du travail, adoptée en 1957, préconisait justement la reconnaissance de l'égalité des citoyens autochtones avec les autres citoyens, c'est-à-dire leur intégration à la société en tant qu'individus à part entière.

La publication du Livre blanc a suscité chez les Indiens une opposition massive et véhémente au projet du gouvernement fédéral. Même s'ils étaient très critiques envers l'administration fédérale, ils ne voulaient pas que celle-ci puisse se soustraire à ses obligations constitutionnelles. Sans compter qu'ils craignaient que leurs revendications ne soient diluées s'ils avaient à transiger avec plusieurs interlocuteurs provinciaux.

À partir de ce moment, les Indiens ont exigé que tout transfert éventuel de la compétence fédérale se fasse à leur profit et non à celui des provinces. Les organisations indiennes qui ont obtenu des fonds gouvernementaux pour participer au processus de consultation mené par le fédéral à cette occasion sont devenues les interlocutrices et les lobbyistes de la cause indienne, tant sur le plan politique que sur le plan judiciaire.

La publication de ce Livre blanc a canalisé l'insatisfaction des Indiens à l'endroit du gouvernement fédéral. Elle a contribué à donner un nouveau souffle au nationalisme indien au Canada et a favorisé une plus grande unité chez les Indiens. Face à cette opposition unanime, le gouvernement a choisi de retirer son projet. Le nationalisme des Indiens n'a pas cessé de s'accentuer depuis.

* * *

Dans le jugement relatif à l'affaire Guerin, la Cour suprême du Canada reconnaît, pour la première fois, que le gouvernement fédéral a une obligation particulière à l'endroit des Indiens et que ceux-ci peuvent obtenir un dédommagement en cas de non-respect de cette obligation. La Cour qualifie cette obligation gouvernementale de fiduciaire, quoiqu'on ne soit pas en présence d'une fiducie au sens habituel du terme.

Il est à noter que cette décision de la Cour suprême du Canada a suivi d'un an un jugement analogue rendu par la Cour suprême des États-Unis dans l'affaire Mitchell II, qui mettait en cause une situation semblable à l'affaire Guerin. La similitude est frappante entre les faits et les jugements prononcés par la Cour suprême des deux pays. Il ne s'agit d'ailleurs pas d'un précédent, puisque la Cour suprême du Canada se réfère régulièrement dans ses jugements en matière autochtone à des décisions historiques du plus haut tribunal des États-Unis, malgré les différences notables entre le droit américain et le droit canadien en matière autochtone.

CHAPITRE 3

L'affaire Sparrow : qu'est-ce qu'un droit ancestral ?

Comme dans l'affaire Guerin, les faits de l'affaire Sparrow sont simples. En 1984, Ronald Edward Sparrow, un Indien membre de la bande des Musqueams de la Colombie-Britannique, a été arrêté parce qu'il pêchait le saumon avec un filet de plus de 25 pieds de longueur, alors que le permis de pêche accordé par le gouvernement fédéral à la bande limitait la longueur des filets à 25 pieds. Il pêchait alors pour se nourrir.

Tout en reconnaissant que son filet dépassait la longueur permise, Sparrow contestait l'application de la loi fédérale sur la pêche. Selon lui, son droit ancestral de pêche, protégé par l'article 35 de la Loi constitutionnelle de 1982, lui permettait de pêcher avec un filet dont la longueur dépasse 25 pieds et il devait avoir préséance sur la loi fédérale. Autrement dit, les limites fixées par la loi fédérale devaient s'effacer devant les droits ancestraux protégés par la Constitution.

Acquitté en première instance, Sparrow a ensuite été reconnu coupable par la Cour d'appel. Cela l'a amené à son tour à en appeler à la Cour suprême, qui l'a acquitté.

Comme il s'agit de la première cause portant sur l'interprétation du concept de « droits ancestraux existants » inscrits dans la Constitution en 1982, le jugement, rendu par la Cour suprême en mai 1990, était très attendu. Ce jugement est déterminant à deux points de vue. D'abord, il élargit de manière importante la notion d'obligation de fiduciaire. Ensuite, il limite le pouvoir du parlement d'empiéter sur les droits ancestraux des peuples autochtones.

Le premier volet de ce jugement porte donc sur l'obligation de fiduciaire du gouvernement fédéral. S'appuyant sur son jugement dans l'affaire Guerin, la Cour suprême confirme, dans l'affaire Sparrow, le principe selon lequel le gouvernement a la responsabilité d'agir en qualité de fiduciaire à l'égard des peuples autochtones. La reconnaissance et la confirmation des droits ancestraux doivent donc être définies en fonction de ces rapports historiques et elles imposent certaines balises à l'exercice du pouvoir du gouvernement.

Alors que le jugement Guerin créait une obligation de fiduciaire dans un contexte limité, celui de la cession de terres à l'intérieur d'une réserve indienne, le jugement Sparrow va beaucoup plus loin. Il l'étend à l'action du législateur, c'est-à-dire aux lois adoptées par le parlement fédéral et aux règlements qui en découlent. De plus, les bénéficiaires de cette obligation ne sont plus seulement les Indiens, mais bien tous les peuples autochtones du Canada, soit les Indiens, les Inuits et les Métis.

Mais c'est surtout sous l'angle de la question des droits ancestraux que nous étudierons le jugement Sparrow. En effet, Sparrow invoquait le fait que son droit ancestral de pêche devait l'emporter sur la loi fédérale. Le jugement Sparrow a été le premier à s'intéresser au concept de droits ancestraux. Étant donné que ce concept était nouveau en droit canadien et qu'il n'est défini ni dans la Constitution ni dans une loi, la marge de manœuvre de la Cour était d'autant plus grande dans ce cas. Voici un excellent exemple de la façon dont les tribunaux prennent le relais du politique comme je l'évoquais précédemment, et le jugement Sparrow constitue l'ébauche de la théorie que la Cour suprême élaborera dans les années subséquentes, pour définir ce concept.

Qu'est-ce qu'un droit ancestral ?

Comme nous l'avons vu, un droit ancestral est un droit particulier dont jouissent les autochtones du fait qu'ils ont occupé le territoire canadien avant les Européens.

Dans ce jugement, la Cour suprême a précisé que le concept de droits ancestraux requiert une « interprétation libérale et généreuse », laquelle doit être souple, de manière à permettre à ces droits d'évoluer. On ne peut donc exiger que les autochtones exercent leurs droits de pêche, à la fin du XXe siècle, de la même manière et avec les mêmes instruments qu'ils le faisaient au XVIIe siècle.

Quand ils en revendiquent l'existence, les autochtones doivent d'abord faire la preuve de ce droit devant le tribunal. Dans l'affaire

Sparrow, la Cour suprême a estimé que Sparrow en avait fait la preuve, puisqu'il a démontré que les Indiens musqueams constituaient une société organisée avant l'arrivée des Européens en Colombie-Britannique et que la pêche au saumon faisait partie intégrante de leur vie, tant à cette époque que maintenant. De plus, il a pu établir que les Musqueams avaient exercé ce droit de pêche de façon ininterrompue jusque-là.

Une fois qu'un autochtone a réussi à prouver qu'il détient un droit ancestral, il doit démontrer qu'une loi y porte atteinte. La Cour énumère certaines questions qu'elle examinera pour déterminer s'il y a atteinte au droit ancestral invoqué. Par exemple, la restriction imposée par la loi est-elle déraisonnable ? Le règlement est-il indûment rigoureux ? Celui-ci empêche-t-il les autochtones d'utiliser leur moyen préféré d'exercer ce droit ? Autrement dit, la Cour examinera si une limitation de la saison de chasse ou de pêche, l'interdiction du filet de pêche, une limitation de la longueur du filet de pêche ou la restriction de la chasse ou de la pêche dans certaines régions représente pour un groupe autochtone donné une restriction déraisonnable et indûment rigoureuse de son droit ancestral. La Cour énumère également une autre série de questions à considérer dans l'analyse des lois et des règlements contestés. Par exemple, le gouvernement a-t-il cherché à empiéter le moins possible sur les droits ancestraux des autochtones en élaborant sa législation ? A-t-il prévu une indemnisation en cas d'expropriation ? Les autochtones ont-ils été consultés avant l'adoption de mesures législatives de conservation ? Ces questions ne sont pas exhaustives ; elles sont énoncées par la Cour à titre d'exemples de son cheminement pour en arriver à une décision.

Si on démontre qu'une loi porte atteinte à un droit ancestral existant, celle-ci n'est pas écartée automatiquement. On demande d'abord au gouvernement de justifier sa loi. Il devra alors démontrer qu'on est devant une réglementation légitime d'un droit garanti par la Constitution.

On analysera alors les objectifs poursuivis par le gouvernement dans ce cas. Par exemple, la Cour considère que l'objectif consistant à préserver un droit ancestral, par des mesures de conservation et de gestion d'une ressource naturelle, est valable. Ainsi, il peut être nécessaire (et justifiable devant le tribunal) de restreindre ou même d'interdire la chasse au béluga ou la pêche au saumon dans certaines régions, s'il apparaît que ces mesures visent justement à assurer la survie de ces espèces et donc la préservation du droit ancestral des autochtones de chasser le béluga ou de pêcher le saumon. La Cour considère également valable une réglementation qui restreindrait un droit ancestral lorsque l'exercice de ce droit serait nuisible à la population en général ou aux autochtones eux-mêmes.

Par ailleurs, la Cour a affirmé qu'elle considérait comme valable tout autre objectif jugé « impérieux et réel », sans préciser ce qu'elle entend par là, ce qui indique son souci de ne pas s'enfermer dans des définitions trop précises ; de plus, elle a souligné en passant que la conservation et la gestion des ressources non seulement sont compatibles avec les croyances et les pratiques des autochtones, mais vont de pair avec le renforcement de leurs droits.

Par contre, une fois établie la nécessité de prévoir dans la loi des mesures de conservation de la ressource naturelle, la Cour a jugé que la répartition de cette ressource doit accorder la priorité aux autochtones. Cette priorité s'impose à cause du rôle de fiduciaire joué par le gouvernement et de la responsabilité particulière qu'il engendre pour lui, et à cause de la protection constitutionnelle accordée aux droits ancestraux. Après la protection et la préservation de la ressource naturelle, on doit donner la priorité à la pêche que font les Indiens à des fins de subsistance ; suivent la pêche commerciale et la pêche sportive. On doit donc satisfaire d'abord la demande alimentaire des Indiens. Par exemple, s'il s'avère nécessaire de réduire le nombre de prises une année et que ce nombre corresponde aux besoins alimentaires estimés des Indiens, ceux-ci doivent se voir attribuer la totalité des prises permises.

Tout en reconnaissant que cette situation impose un lourd fardeau au gouvernement, la Cour a estimé que la protection constitutionnelle accordée aux droits ancestraux exigeait que la législation et la réglementation respectent cette priorité accordée aux autochtones. Tout ce qui entoure la chasse et la pêche constitue, comme on le sait, un domaine politiquement délicat où s'affrontent les intérêts de diverses communautés. On constate que la priorité aux autochtones décrétée par le jugement Sparrow a changé substantiellement les règles établies jusque-là. Ce n'est pas un hasard si on a observé, depuis ce jugement, des réactions extrêmement virulentes, partout au Canada, parmi les pêcheurs commerciaux et les pêcheurs sportifs. On a également noté dans les milieux gouvernementaux que la limite imposée au pouvoir de légiférer du gouvernement est perçue comme une contrainte importante.

CHAPITRE 4

L'affaire Sioui : on découvre un traité

Une semaine avant de faire connaître son jugement dans l'affaire Sparrow, la Cour suprême du Canada a rendu une autre décision marquante, dans la cause des frères Sioui. Régent, Conrad, George et Hugues Sioui sont membres de la bande des Hurons de Lorette, aussi connue sous le nom de « nation huronne-wendat », laquelle occupe la réserve indienne de Wendake, dans la banlieue de Québec.

En 1983, dans le parc de la Jacques-Cartier, au nord de Québec — un parc situé en dehors des limites de la réserve des Hurons —, les frères Sioui ont été interceptés parce qu'on leur reprochait d'avoir coupé des arbres, d'avoir campé et d'avoir fait des feux.

Ils ont été trouvés coupables par le juge de première instance. Faisant appel de cette condamnation à la Cour supérieure du Québec, les frères Sioui ont reconnu avoir commis les actes qu'on leur reprochait, mais ils ont affirmé qu'ils pratiquaient alors des coutumes ancestrales et des rites religieux. Pour appuyer leurs dires, ils ont produit un texte ancien. Il s'agit d'un document signé par le général Murray, commandant des forces britanniques, le 5 septembre 1760, soit quelques jours avant la capitulation de Montréal, alors que les Français étaient toujours maîtres de la Nouvelle-France.

Le texte énonce ce qui suit :

PAR LES PRÉSENTES, nous certifions que le CHEF de la tribu des HURONS, étant venu à moi pour se soumettre au nom de sa nation à la COURONNE BRITANNIQUE et faire la paix, est reçu sous ma protection, lui et toute sa tribu ; et dorénavant ils ne devront pas être molestés ni arrêtés par un officier ou des soldats anglais lors de leur retour à leur campement de LORETTE ; ils seront reçus aux mêmes conditions que les Canadiens, il leur sera permis d'exercer librement leur religion, leurs coutumes et la liberté de commerce avec les Anglais : nous recommandons aux officiers commandant les postes de les traiter gentiment.

Signé par moi à Longueuil, ce 5ᵉ jour de septembre 1760.

Ja. MURRAY[1]

Les Hurons prétendaient que ce document constituait un traité les mettant à l'abri de la loi provinciale. En effet, la Loi sur les Indiens prévoit que les lois provinciales d'application générale, comme la Loi sur la conservation de la faune, s'appliquent aux Indiens, à moins que ces lois ne soient incompatibles avec les dispositions d'un traité signé avec les Indiens.

Le juge de la Cour supérieure du Québec rejeta les arguments des frères Sioui. Il estimait au contraire que le texte signé par le général Murray n'était pas un traité, parce que le général n'avait ni les pouvoirs ni l'intention de conclure un tel traité, qui aurait eu pour effet d'accorder des droits territoriaux aux Hurons. Le juge conclut que ce document constituait plutôt un certificat de protection ou un sauf-conduit, puisque, selon lui, ni la nation huronne ni le souverain britannique n'avaient, à aucun moment, considéré ce document comme un traité.

Rappelons que les Hurons sont présents dans la région de Québec depuis 1650, s'y étant réfugiés après avoir été chassés de leurs terres ancestrales situées en Ontario où ils avaient presque été exterminés par d'autres nations indiennes. En 1760, année de la signature du document de Murray, ils étaient établis à Lorette sur des terres que leur avaient concédées les jésuites et ils fréquentaient le territoire aujourd'hui délimité par le parc de la Jacques-Cartier.

Après avoir été condamnés par les deux instances inférieures, les frères Sioui furent acquittés par la Cour d'appel du Québec. Le gouvernement du Québec décida alors de contester cet acquittement devant la Cour suprême du Canada.

De l'analyse de certains documents historiques, la Cour suprême a déduit qu'à cette époque tant la Grande-Bretagne que la France jugeaient préférable d'entretenir, avec les diverses nations indiennes, des

---

1. Traduction citée dans le jugement Sioui, p. 1031.

relations qui, si elles n'équivalaient pas à des relations entre nations souveraines, du moins s'en rapprochaient. Les métropoles européennes faisaient tout pour s'allier avec les différentes nations indiennes ou pour les faire changer de camp. Quand elles y arrivaient, elles formalisaient le tout dans des traités d'alliance ou de neutralité. Pour le tribunal, la Grande-Bretagne et la France reconnaissaient qu'il leur serait impossible de contrôler l'Amérique sans la collaboration des Indiens. La situation unique dans laquelle se trouvaient ces derniers avait forcé les métropoles à leur reconnaître une autonomie suffisante pour que puissent être créées des ententes solennelles qu'on a appelées « traités ». Cela indiquerait clairement, selon la Cour, que les nations indiennes étaient considérées par les puissances européennes comme des nations indépendantes, à cette époque où les Indiens représentaient toujours une menace sérieuse. Ce contexte justifie donc amplement la signature du document du 5 septembre 1760 par le général Murray.

L'analyse des circonstances entourant la signature de ce document a amené la Cour à le qualifier de traité, et ce même s'il n'en porte pas le titre, même si les Indiens ne l'ont pas signé et même si la Grande-Bretagne n'avait pas encore conquis la Nouvelle-France à ce moment-là. La Cour a déduit de ces circonstances que le document signé par le général Murray était le résultat de négociations avec les Hurons. Il ne pouvait s'agir de l'expression de sa seule volonté.

Selon la Cour, les Hurons, d'anciens alliés de la France, étaient suffisamment au fait de la guerre pour savoir qu'une entente avec « l'ennemi » (les Britanniques) ne lierait pas la France si elle réussissait à reprendre la Nouvelle-France. Ils étaient fondés à croire que la Grande-Bretagne pouvait conclure avec eux un traité qui serait valable pour autant qu'elle arrive à contrôler le Canada. Il était donc raisonnable que les Hurons perçoivent le général Murray comme un représentant de la Grande-Bretagne autorisé à transiger avec eux. Ainsi, en tant que général, Murray signait un sauf-conduit leur permettant de revenir sans problème de Montréal à Québec et, en tant que gouverneur du district de Québec, il signait un traité leur garantissant le libre exercice de leur religion, de leurs coutumes et du commerce avec les Anglais.

Pour ces raisons, la Cour suprême du Canada a accordé la valeur de traité, au sens de la Loi fédérale sur les Indiens, à ce document signé par le général Murray. Et c'est ainsi que les droits reconnus dans ce document signé par un général de l'armée britannique en 1760 l'emportent désormais sur les lois provinciales. En outre, la Cour a accepté l'argument des Hurons selon lequel ils exerçaient des coutumes ancestrales et des rites religieux en coupant des arbres, en campant et en faisant des feux dans un parc, et les a acquittés, le 24 mai 1990.

La Proclamation royale de 1763

Dans cette cause, la Cour suprême est revenue sur les raisons de l'adoption de la Proclamation royale de 1763. Celle-ci organisait les territoires acquis en Amérique par la Grande-Bretagne, après la capitulation de la France consacrée par le traité de Paris. En outre, elle réservait aux Indiens deux catégories de terres : les terres situées à l'extérieur des limites territoriales de la colonie de Québec, en 1763, et les établissements autorisés par le gouvernement à l'intérieur des limites de la colonie de Québec.

Pour comprendre l'importance de cette Proclamation, il faut revenir au contexte politique de l'époque. La Grande-Bretagne était présente en Amérique bien avant sa conquête de la Nouvelle-France. Elle contestait d'ailleurs les prétentions françaises dans plusieurs régions de l'Amérique. Sur le territoire de ce qui est aujourd'hui le Québec, Henry Hudson avait découvert, au nom du roi britannique, le détroit et la baie d'Hudson, en 1610.

Le roi de Grande-Bretagne avait également concédé à la Compagnie de la baie d'Hudson le monopole du commerce et certains pouvoirs de gouvernement sur la terre de Rupert, qui représente le Québec nordique d'aujourd'hui. La terre de Rupert lui avait été cédée par la France en 1713, avec Terre-Neuve et l'Acadie, par le traité d'Utrecht.

Après la capitulation définitive de la France en 1760, le traité de Paris est signé le 10 février 1763 entre la Grande-Bretagne, la France et l'Espagne. Il consacrait la conquête de la Nouvelle-France par la Grande-Bretagne et confirmait la suprématie de cette dernière dans le Nouveau Monde.

Au cours des discussions qui ont lieu en Grande-Bretagne concernant l'établissement d'un gouvernement civil dans les territoires cédés à la Grande-Bretagne par le traité de Paris, lord Egremont faisait remarquer aux lords du commerce chargés de conseiller le roi, en mai 1763, que la question de la sécurité de l'Amérique du Nord comporte deux volets. Le premier volet touche à la sécurité de tout le pays contre les autres pouvoirs européens, alors que le second volet a trait au maintien de la paix intérieure et à la tranquillité du pays « en prévision des tentatives des sauvages ». Selon lord Egremont, ce deuxième volet nécessite des règlements et des « précautions » particulières, dont la construction de quelques forts « dans le pays des sauvages, avec leur consentement ». Invoquant son esprit de justice et de modération, il invite toutefois Sa Majesté à « se concilier les cœurs des sauvages par la douceur de son gouvernement, en protégeant leur personne et leurs propriétés, en leur garantissant la possession de leurs biens, en respectant les droits et les privilèges dont ils ont joui jusqu'à aujourd'hui et auxquels ils ont droit, et en défendant leurs terrains de chasse contre toute invasion ou occupation, lesquels terrains ne pourront être acquis que par un achat équitable[1] ».

Dans leur réponse du 8 juin 1763 à la demande de lord Egremont, les lords du commerce font remarquer que, outre le contrôle exclusif de l'Amérique du Nord, le traité de Paris procure divers avantages à la Grande-Bretagne. Selon eux, un des avantages évidents de cette cession a trait au commerce de fourrures avec les Indiens de toute l'Amérique du Nord, qui était jusqu'alors presque totalement aux mains des Français : les Français ont pu y arriver en établissant de nombreux postes de traite et en construisant des forts en nombre suffisant « tant pour réduire les sauvages de cet immense continent qu'en vue de les approvisionner ». Selon les lords du commerce, il est essentiel de placer à ces endroits une force militaire suffisante non seulement pour les préserver des incursions des sauvages, mais pour les défendre également contre les attaques des Européens.

Le rapport du général Gage aux lords du commerce sur l'état du gouvernement de Montréal, en 1762, renforce la perception qu'une présence militaire importante est toujours nécessaire pour contrer les attaques éventuelles des Indiens. Dans son rapport aux lords, le général rend compte du fait que les « sauvages » ont été traités avec la même humanité que les Canadiens et qu'ils ont obtenu justice immédiatement au regard de tous les torts qui leur ont été faits jusque-là. Quant aux fortifications, qui étaient destinées à repousser les invasions soudaines des « sauvages », elles n'ont, selon lui, pas une grande valeur, n'étant plus

---

1. A. Shortt, A. G. Doughty (1921), p. 100-101.

en bon état. Enfin, le général Gage estime que la présence des troupes mettra fin à l'insolence des « sauvages » et les subterfuges et les artifices employés par les commerçants pour frauder ces derniers pourront alors être punis sur-le-champ. Le général croit que de tels moyens ne devraient pas manquer pas de convaincre les « sauvages » de l'intégrité et des bonnes intentions de Sa Majesté à leur égard, et de faire cesser en même temps les querelles avec eux.

Ainsi, la Grande-Bretagne va enfin tirer profit du commerce des produits européens qui seront vendus par les commerçants anglais aux Indiens, lequel avait été largement dominé par les Français jusque-là.

Suivant les conseils des lords du commerce, le roi George III adopte, en vertu de sa prérogative royale, un édit qui organise le gouvernement de ses nouvelles possessions.

La Proclamation royale de 1763 crée quatre colonies : Québec, la Floride orientale, la Floride occidentale et la Grenade. Le souverain britannique détient en effet le pouvoir de légiférer pour ses colonies qui ne se sont pas vu doter d'une assemblée législative.

De plus, cette proclamation établit que les différentes nations de sauvages avec lesquelles les Britanniques ont des relations et qui vivent sous leur protection ne doivent pas être troublées dans la possession des parties des territoires britanniques qui, n'ayant été ni cédées ni achetées par les Britanniques, leur sont réservées comme leur pays de chasse. La Proclamation réserve de plus à l'usage des Indiens l'immense territoire compris entre la nouvelle colonie et la terre de Rupert. Elle interdit la vente directe des terres des Indiens aux colons sans l'autorisation préalable du gouvernement. À partir de ce moment, les Indiens ne peuvent plus transiger leurs droits sur les terres avec d'autres parties que le gouvernement.

La nature et la portée des droits qui sont reconnus aux Indiens dans la Proclamation royale, l'extinction ou la rétrocession de ces droits, les limites du territoire auquel elle s'applique, les tribus qui peuvent s'en prévaloir, voilà autant de questions qui font toujours l'objet de débats, plus de deux siècles après l'adoption de ce texte.

Des traités avec les Indiens

Dans la foulée de la Proclamation royale de 1763, des instructions royales seront transmises aux divers gouverneurs de Québec. Les instructions au gouverneur Murray de la même année font référence aux nombreuses nations ou tribus sauvages qui habitent et possèdent la province de Québec et avec lesquelles il est opportun de cultiver de bonnes relations afin de les amener graduellement à devenir de bons sujets de Sa Majesté.

Entre 1768 et 1775, les instructions royales au gouverneur Carleton lui enjoignent de prendre les mesures nécessaires pour fixer, avec l'accord des sauvages, les limites précises des terres qu'il pourra être approprié de leur réserver et sur lesquelles toute colonisation sera interdite.

C'est ainsi que la Grande-Bretagne applique dans ses nouvelles colonies sa politique consistant à traiter avec les Indiens quand elle veut coloniser de nouvelles terres dans ses possessions. Pas plus que la France, la Grande-Bretagne ne considère ces ententes ou alliances avec les tribus indiennes comme des traités internationaux, du genre de ceux qu'elle signe avec d'autres nations souveraines européennes. Ces documents mentionnent d'ailleurs que les Indiens sont les sujets de Sa Majesté. Entre 1680 et 1862, la Grande-Bretagne conclut de tels traités, dits de paix et d'amitié, avec diverses nations de l'est de l'Amérique du Nord.

Ces alliances visent à obtenir, sinon l'appui militaire des Indiens contre les Français, du moins leur neutralité, leur reconnaissance de l'autorité de la Grande-Bretagne ou la libération de prisonniers anglais. Elles donnent aux Indiens un certain nombre de garanties en retour, dont la protection militaire, la liberté de chasser, de pêcher et de vendre leurs prises, la remise de produits alimentaires et de présents annuels. Contrairement aux traités de cession qui viendront par la suite, les traités de paix et d'amitié ne visent pas la renonciation par les Indiens à leurs droits sur leurs territoires traditionnels.

Les traités de cession, eux, prévoient que les Indiens cèdent leurs droits sur d'immenses territoires en échange de munitions, d'indemnités, d'équipement agricole et de terres délimitées, appelées « réserves ». Ces réserves sont « gardées et possédées en commun » par les chefs et leurs tribus pour leur usage et bénéfice, tout en demeurant la propriété de Sa Majesté. En général, les terres de réserve sont attribuées à raison de 1 mille carré ou 640 acres par famille de 5 personnes. Certains traités garantissent également aux Indiens le droit de poursuivre leurs activités de pêche, de chasse et de trappe sur les terres inoccupées de la Couronne. Ces garanties sont en général assujetties aux lois.

Devant les troubles qui persistent dans sa colonie, la Grande-Bretagne doit consentir à des changements, qui sont consacrés dans l'Acte de Québec de 1774. On y édicte que les lois criminelles anglaises (dont « la clarté et la douceur » ont été « ressenties » par les Canadiens depuis 1763) vont continuer de s'appliquer, mais on rétablit, entre autres, les lois civiles françaises, le droit de pratiquer la religion catholique et on abolit le Serment du Test.

Par ailleurs, l'Acte de Québec énonce expressément, à l'article 3, qu'il n'a pas pour effet d'annuler ou d'altérer « aucuns droits, titres ou possessions résultant de quelques concessions, actes de cession, ou d'autres que ce soit, d'aucunes terres dans ladite province, ou provinces y joignantes, et que lesdits titres resteront en force, et auront le même effet, comme si cet Acte n'eût jamais été fait ». Cet article a pour conséquence de laisser intacts les droits reconnus aux autochtones dans la Proclamation royale de 1763.

Enfin, la Loi constitutionnelle de 1982 se réfère à la Proclamation royale de 1763, à l'article 25 de la Charte canadienne des droits et libertés. On a accordé ainsi une protection constitutionnelle à ce texte juridique ancien, reconnaissant par là qu'il était toujours en vigueur, ce que plusieurs juristes contestaient. Le fait de l'incorporer dans la Constitution réactualise les droits particuliers des Indiens, tout en laissant entière la question d'en définir la portée. Il faut donc s'attendre à ce qu'aient lieu d'autres débats autour de ce texte historique.

* * *

Outre qu'il a qualifié le document de Murray de traité, le jugement Sioui est la première décision contemporaine de la Cour suprême sur la portée de la Proclamation royale de 1763, depuis que ce texte, dont plusieurs croyaient qu'il ne produisait plus d'effets juridiques, a été incorporé dans la Constitution en 1982. C'est aussi le premier jugement contemporain de la Cour suprême sur l'application de cette proclamation au territoire du Québec.

Si la Cour a reconnu que le document de Murray était un traité au sens de la Loi sur les Indiens, et que les droits qu'il conférait avaient préséance sur les lois du Québec, elle n'a pas statué, à la demande même des frères Sioui, sur le fait que ce traité jouissait ou non de la protection constitutionnelle, même si on peut présumer que la réponse serait favorable aux Hurons.

Mais ce qui sera intéressant surtout, ce sera de voir l'interprétation que l'on fera dans l'avenir des droits énoncés dans ce traité. Le « droit d'exercer leur religion et leurs coutumes » qu'accorde aux Indiens le traité Murray laisse une grande latitude dans la portée concrète qu'on peut donner à ces termes. Au-delà de couper des arbres et de faire des feux, le droit d'exercer leurs coutumes peut-il servir de fondement à la reconnaissance d'une forme d'autonomie gouvernementale ? Il est certain que le but poursuivi par les Indiens dans de telles causes, au-delà de l'incident qui en est le prétexte, consiste à faire avancer leur lutte pour qu'on leur reconnaisse ce droit à l'autonomie.

Dans quelle mesure, un tel droit à l'autonomie gouvernementale subsiste-t-il toujours ou a-t-il été, sinon éteint, du moins restreint par les lois fédérales successives sur les Indiens ? Dans quelle mesure ce droit est-il assujetti à la législation fédérale ? Est-il assujetti aux lois provinciales ? Voilà quelques-unes des questions que suscite la décision de la Cour suprême dans l'affaire Sioui.

Il s'agit de la deuxième décision de la Cour suprême du Canada qui reconnaît la valeur d'un traité préconfédératif, c'est-à-dire d'un document signé par la Couronne britannique avant la création de la Confédération canadienne en 1867. En effet, la Cour suprême a décidé dans l'affaire Simon, en 1985, qu'un traité de paix et d'amitié signé en 1752 entre la Grande-Bretagne et les Micmacs qui leur garantit « la liberté de chasser et de pêcher comme de coutume » a priorité sur la Loi provinciale sur les terres et forêts de la Nouvelle-Écosse. Ainsi, la possession par les Micmacs d'une carabine et de munitions rangées de façon sécuritaire découle de leur liberté de chasser, laquelle est garantie par le traité de 1752, même si cela contrevient aux exigences de la loi provinciale.

Le jugement Sioui, qui se situe dans la foulée du jugement Simon, est toutefois le premier jugement de la Cour suprême qui donne une interprétation aussi large du mot « traité », quand on renvoie aux ententes conclues avec des autochtones. Avec l'insertion de la reconnaissance des droits des autochtones dans la Constitution canadienne en 1982, la Cour suprême du Canada a décidé d'adopter une interprétation flexible et libérale des traités relatifs aux Indiens.

Il est important de souligner que le plus haut tribunal canadien, comme il l'a fait dans d'autres causes concernant des autochtones, fonde ici sa décision sur des jugements rendus par la plus haute Cour américaine. On y fait référence, entre autres, à une décision de la Cour suprême des États-Unis, rendue à la fin du XIXᵉ siècle dans l'affaire Jones. Dans cette décision, le tribunal américain estime qu'on devait tenir compte de la disproportion entre les parties qui négociaient de telles ententes. Dans cette cause, on a affaire, d'un côté, aux États-Unis, « une nation éclairée et puissante » représentée par des « experts en diplomatie » qui appliquent les dispositions de leur système de droit et qui bénéficient d'interprètes pour conclure une entente rédigée dans leur propre langue. De l'autre côté, il y a les Indiens, « un peuple faible et dépendant » qui ne possède aucune langue écrite et qui n'est pas familier avec des expressions juridiques dont le sens leur est expliqué par des interprètes au service des États-Unis. La Cour suprême des États-Unis décide donc alors que le langage utilisé dans ce genre de traités ne devait pas être interprété selon le sens technique que des avocats chevronnés peuvent lui donner, mais plutôt selon le sens que les Indiens lui donneraient naturellement.

Il est intéressant de noter que la Cour suprême du Canada revient sur cette décision près de cent ans plus tard, dans la cause Sioui. Selon elle, la décision américaine de 1899 s'impose d'autant plus que le document du général Murray a été signé plus de cent ans avant cette décision. La Cour suprême du Canada a choisi d'adopter une interprétation « juste, large et libérale » quand vient le temps de constater l'existence d'un traité.

Il est clair que cette interprétation de la Cour va beaucoup plus loin que ce que certains historiens et juristes considèrent comme les critères traditionnels de définition d'un traité. Ce qui est en jeu ici, c'est l'interprétation qu'on en fait aujourd'hui, dans une perspective totalement différente de celle qui a été retenue par l'histoire jusqu'ici. En fait, la nouvelle attitude de la Cour constitue ni plus ni moins un réexamen en profondeur des rapports historiques entre l'État et les autochtones. De toute manière, les recours judiciaires entrepris par les autochtones créent une pression qui rend ce réexamen inévitable. Il est évident qu'un tel exercice ne se terminera pas en leur faveur dans tous les cas. Mais les récents jugements de la Cour suprême du Canada montrent bien qu'elle ne se privera pas du pouvoir qu'elle détient, depuis 1982, d'imposer une interprétation, qu'elle qualifie de généreuse, des ententes historiques conclues avec les autochtones.

CHAPITRE 5

Les affaires Adams et Côté-Décontie : le cas particulier de la Nouvelle-France

George Weldon Adams, un Mohawk de la réserve d'Akwesasne, au Québec, a été accusé d'avoir pêché la perchaude en mai 1982, pendant la période de frai, sans le permis prescrit par un règlement fédéral, dans les marais de la partie sud-ouest du lac Saint-François, dans le fleuve Saint-Laurent, en dehors des limites de la réserve d'Akwesasne.

En juillet 1984, Frank Côté, Peter Décontie, Frieda Morin-Côté, Russel Tenasco et Ben Décontie, des Algonquins de la réserve de Maniwaki ont pénétré, en voiture, dans la zone d'exploitation contrôlée (ZEC) Bras-coupé — Désert, en compagnie d'un groupe d'élèves autochtones à qui ils voulaient enseigner les méthodes traditionnelles algonquines de chasse et de pêche. Cette ZEC est située en dehors des limites de la réserve de Maniwaki. Les Algonquins ont refusé de payer le droit d'entrée dans la ZEC prescrit par un règlement provincial et pêché dans le lac Désert sans le permis exigé par le même règlement fédéral que celui invoqué dans la cause Adams.

Le jugement de la Cour suprême du Canada a été rendu en même temps dans les deux cas en octobre 1996, soit quatorze ans après les faits de la cause Adams et douze ans après ceux de la cause Côté-Décontie. Les deux causes ne sont pas identiques puisque la cause Côté-Décontie porte sur une contravention à un règlement provincial en plus d'une contravention à un règlement fédéral. Mais, dans les deux cas, on reprochait aux autochtones d'avoir contrevenu au même règlement fédéral : le Règlement de pêche du Québec. Il s'agit bel et bien d'un règlement adopté par le gouvernement fédéral et non d'un règlement provincial, même si son nom prête à confusion et même si le gouvernement fédéral a confié l'application de son règlement au gouvernement du Québec. En fait, ce règlement de pêche fédéral est le pendant du règlement fédéral de pêche de la Colombie-Britannique invoqué dans la cause Sparrow, dont il a été question précédemment.

Dans les causes Adams et Côté-Décontie, le gouvernement fédéral et celui du Québec prétendaient que les autochtones devaient établir, dans un premier temps, qu'ils détenaient un titre de propriété sur des terres traditionnelles et, dans un deuxième temps, que les droits ancestraux qu'ils revendiquaient découlaient de ce titre. Selon cette position, les autochtones qui n'arriveraient pas à démontrer l'existence de ce titre sur le territoire ne pourraient se voir reconnaître de droits ancestraux.

Rejetant cet argument, la Cour suprême a rappelé le critère qu'elle avait retenu en vue de caractériser un droit ancestral. Pour constituer un droit ancestral, une activité doit être une coutume, une pratique ou une tradition qui fait partie intégrante de la « culture distinctive » du groupe autochtone revendiquant le droit en question. Ainsi, lorsqu'un groupe autochtone démontre qu'une activité ou une coutume pratiquée sur un territoire donné, la pêche dans le lac Saint-François et dans le lac Désert dans ces cas-ci, fait partie intégrante de sa culture distinctive, il prouve qu'il possède le droit ancestral de s'adonner à cette activité ou à cette coutume, même s'il ne peut démontrer qu'il a occupé et utilisé ce territoire suffisamment longtemps pour établir qu'il détient un droit ancestral sur ce territoire.

En vertu du règlement fédéral, la seule façon pour les autochtones d'exercer leur droit ancestral de pêche pour se nourrir consiste à obtenir un permis qui est émis à la discrétion du ministre. Le ministre peut ou non émettre un permis sans qu'aucun critère précis ne soit fixé pour baliser l'exercice de son pouvoir. La Cour a estimé que l'obligation de fiduciaire du gouvernement envers les peuples autochtones est incompatible avec une procédure administrative aussi arbitraire. S'appuyant sur ses décisions antérieures, dont la cause Sparrow, la Cour a conclu que le règlement fédéral constitue une atteinte injustifiée au droit ancestral des Mohawks et des Algonquins de pêcher pour se nourrir, notamment parce que ce règlement n'accorde pas la priorité absolue au droit de pêche des autochtones pour leur subsistance. Ces jugements ont comme conséquence que les Mohawks et les Algonquins peuvent pêcher pour leur subsistance (et pour l'enseignement des méthodes traditionnelles de pêche, dans le cas des Algonquins), au moins dans les zones décrites dans ces deux causes, sans avoir à détenir de permis fédéral.

Un des arguments majeurs des gouvernements du Canada et du Québec dans les causes Adams et Côté-Décontie était que le Régime français qui a prévalu en Nouvelle-France jusqu'en 1763 n'avait reconnu aucun droit particulier aux autochtones et que l'établissement de la souveraineté française en Nouvelle-France avait écarté tout droit autochtone qui aurait pu exister avant l'arrivée des Français, et qu'il ne pouvait, en conséquence, subsister de droits ancestraux à l'intérieur des frontières historiques de la Nouvelle-France sous le Régime français. Cet argument représentait la position officielle des gouvernements canadien et québécois depuis de nombreuses années, et un certain nombre de juristes québécois l'ont développée.

La Cour suprême en a décidé autrement. Elle a estimé que le Régime français n'avait pas mis fin à l'existence potentielle de droits ancestraux à l'intérieur de ce qui constituait la Nouvelle-France. Le fait que le Régime français n'ait pas reconnu explicitement des coutumes, des traditions ou des pratiques autochtones ne représentait pas, selon le tribunal, l'expression claire et expresse de son intention d'éteindre ou d'écarter ces coutumes, traditions et pratiques. Il eût fallu que le Régime français exprime de façon explicite sa volonté d'écarter tout droit autochtone antérieur, ce qui n'a pas été fait. Au contraire, on a démontré devant le tribunal que le Régime français avait fait preuve tout au moins d'une tolérance tacite envers des coutumes autochtones. Le fait qu'une coutume ou une tradition se soit maintenue après l'arrivée des Européens, même sans « le lustre formel que lui aurait donné sa reconnaissance juridique par les colonisateurs européens », ne doit pas saper la protection maintenant accordée aux droits ancestraux par la Constitution canadienne. On ne pourrait atteindre ce que les juges ont appelé le « noble objet » de la Constitution depuis 1982, à savoir « la préservation des caractéristiques déterminantes qui font partie intégrante des sociétés autochtones distinctives », si la Constitution ne visait que les droits dont le hasard aurait bien voulu qu'ils soient reconnus par les colonisateurs français et britanniques. Selon le tribunal, une telle interprétation aurait pour effet de perpétuer « l'injustice historique dont les peuples autochtones ont été victimes aux mains des colonisateurs, qui n'ont pas respecté la culture distinctive des sociétés autochtones préexistantes ». Ce langage utilisé par la Cour suprême indique qu'elle entend poursuivre ce qu'elle avait déjà annoncé dans le jugement Sparrow, c'est-à-dire donner une interprétation souple, large et libérale des droits reconnus par la Constitution depuis 1982.

Une limite aux droits des Indiens

Nous avons vu que les infractions reprochées à Adams et aux Algonquins impliqués dans l'affaire Côté-Décontie se rapportaient à un règlement fédéral. Mais, dans le second cas, on reprochait en plus aux accusés d'avoir enfreint un règlement provincial. Sur ce chapitre, il s'agissait de décider si le droit ancestral de pêche des Algonquins dans les lacs et les rivières de la ZEC Bras-coupé — Désert les exemptait du droit d'entrée pour les véhicules automobiles, prévu dans un règlement du Québec.

En fait, seuls les véhicules automobiles sont soumis à un droit d'accès à la ZEC. L'entrée des automobiles est assujettie au paiement de frais qui servent à la gestion de la ZEC, y compris à l'entretien des routes qui la sillonnent. De plus, une personne peut y pénétrer gratuitement si elle est à pied ou si elle utilise un moyen de transport comme le canot, les raquettes, la bicyclette ou la motoneige. La Cour en a conclu que le paiement de ces droits d'utilisation ne constituait pas une atteinte au droit ancestral de pêche des Algonquins. Non seulement, a-t-elle jugé, ces frais ne restreignaient pas les droits constitutionnels des Algonquins, mais au contraire ils en favorisaient l'exercice : les Algonquins sont donc soumis à ce règlement provincial.

On attendait avec impatience les jugements dans les affaires Adams et Côté-Décontie tant dans les milieux gouvernementaux que chez les autochtones, en raison des nombreuses questions fondamentales soulevées par ces causes. Il est remarquable de constater que les médias ont rapporté l'annonce des ces jugements d'une manière indiquant que les autochtones pouvaient désormais pêcher quand, où et comment ils le veulent ; ils ont négligé de révéler que le jugement Côté-Décontie soustrayait les Algonquins à l'application du règlement fédéral, mais qu'il les assujettissait au règlement provincial. Ce compte rendu incomplet n'a pas été suivi d'analyses sur ces questions très délicates qui touchent beaucoup de citoyens. Que cela soit voulu ou non, on arrive rarement, dans le traitement de la nouvelle dans ce domaine, à dépasser le stade de l'annonce sommaire et plus ou moins sensationnelle. Comme me l'a expliqué le directeur de l'information d'un des médias les plus importants du Québec : « Nous, on fait de la *business.* » Est-ce à dire qu'au-delà du spectacle et de la *business* les médias n'ont pas la responsabilité de rendre compte à la population de ces questions qui la concernent et qui vont constituer, de toute manière, des dossiers chauds encore longtemps ? On se demande, par exemple, comment un citoyen du Québec ou de la Colombie-Britannique peut s'y retrouver quand il lit ou entend dans les médias que les autochtones revendiquent les deux tiers du territoire du Québec ou encore 110 % du territoire de la Colombie-Britannique. Comment peut-on comprendre la complexité des revendications territoriales contemporaines des autochtones sans disposer d'outils d'analyse ? Comment peut-on même comprendre le fait que le territoire canadien fasse toujours l'objet de revendications territoriales de la part des autochtones à la fin du XXe siècle ?

CHAPITRE 6

Les revendications territoriales

On sait désormais que les autochtones ont des droits sur le territoire canadien simplement parce qu'ils occupaient ces terres avant les colons européens. Ces droits ont été consacrés sous l'appellation de « droits ancestraux » dans la Loi constitutionnelle de 1982.

Mais il n'en a pas toujours été ainsi. Jusqu'au début des années 70, le gouvernement canadien considérait en effet que les revendications territoriales des autochtones n'avaient pas de fondement et il refusait d'en discuter.

En 1971, les Indiens nishga'a de la Colombie-Britannique demandèrent aux tribunaux de déclarer que leur titre ancestral de propriété sur leur ancien territoire tribal, situé dans cette province, subsistait toujours puisque, selon eux, ce titre n'avait jamais été éteint. C'est l'affaire Calder.

Les Indiens ont été déboutés en Cour suprême, deux ans plus tard, mais le jugement rendu à cette occasion est déterminant pour tout ce qui touche aux revendications territoriales des Indiens. En effet, trois des sept juges étaient d'avis que ces droits avaient existé, mais qu'ils avaient été éteints au moins implicitement par la colonisation européenne et par les lois successives. Trois autres juges croyaient, au contraire, que ces droits étaient toujours existants en 1973, entre autres raisons parce qu'ils n'avaient été éteints de façon explicite à aucun moment depuis l'arrivée des Européens. Le septième juge rejetait la demande pour une question de procédure.

Ce qui est notable dans ce jugement, c'est que les six juges qui se sont prononcés sur le fond de la question s'entendaient sur un point : les droits des autochtones sur le territoire canadien existent du seul fait que ceux-ci ont occupé et utilisé le territoire avant les Européens, et ce, indépendamment de toute forme de reconnaissance par les régimes qui se sont succédé. Il faut préciser ici que ces droits existent sous réserve du titre prédominant de l'État sur le territoire canadien. En effet, les tribunaux ont considéré jusqu'ici que les droits ancestraux des autochtones sont soumis à la souveraineté et au droit de propriété de l'État sur le territoire canadien. La décision dans l'affaire Calder marque le début d'un revirement de la politique canadienne sur la question des droits territoriaux des autochtones dont nous sommes témoins depuis vingt-cinq ans.

Nous avons vu au chapitre 4 que la Proclamation royale de 1763 réservait à l'usage des Indiens d'immenses territoires. À partir de 1850, la couronne a signé avec les Indiens une série de traités visant la cession des parties de ces territoires, pratique qui est reprise par le gouvernement du Canada entre 1867 et 1923.

Il semble qu'à partir de ce moment on n'ait plus senti le besoin de négocier avec les Indiens la cession de leurs territoires. Il faut dire que, de toute façon, le gouvernement a de tout temps eu la possibilité d'éteindre ou d'annuler les droits des autochtones sans formalités particulières. Cela pouvait se faire de façon unilatérale et sans compensation par une simple loi fédérale toute action gouvernementale incompatible avec les droits des autochtones suffisait. Quel que soit le moyen utilisé, il importait seulement que l'intention gouvernementale d'éteindre ces droits soit énoncée clairement et expressément. L'extinction de ces droits pouvait également prendre la forme d'une cession.

Ces traités concernent la partie du territoire canadien qui va de l'Ontario à la frontière de la Colombie-Britannique. Aucun de ces traités ne porte sur le territoire du Québec, de la Colombie-Britannique, des Provinces maritimes et du Yukon.

Cela constitue le fondement des revendications territoriales contemporaines.

La reprise des négociations avec les Indiens

Le gouvernement fédéral a réagi rapidement après la décision dans l'affaire Calder en adoptant une déclaration de principe portant sur les revendications territoriales contemporaines des Indiens. Il a alors annoncé son intention de reprendre la politique de signature de traités, interrompue cinquante ans plus tôt. Rien ne l'y obligeait de façon stricte, puisqu'il lui était encore possible d'éteindre ces droits unilatéralement et sans compensation à l'aide d'une loi. Mais il a préféré emprunter la voie de la négociation, sans doute pour échapper aux aléas des décisions des tribunaux.

Le gouvernement fédéral se disait donc prêt désormais à reconnaître la légitimité des revendications fondées sur la Proclamation royale de 1763. Par contre, il se refusait à reconnaître des droits à l'intérieur des frontières historiques de la Nouvelle-France, parce qu'il soutenait que le Régime français les avait éteints. Nous avons vu que la Cour suprême du Canada a rejeté cette position juridique dans les affaires Adams et Côté-Décontie, à l'automne 1996.

Depuis 1973, le gouvernement entend donc obtenir, grâce à la négociation avec les autochtones, l'abandon de leurs droits ancestraux sur les parties du territoire canadien qui n'ont pas fait l'objet d'un traité jusqu'ici. Cette renonciation des autochtones doit ensuite être consacrée par une loi fédérale, qui éteindra alors le titre ancestral et les droits de ces autochtones sur leurs territoires traditionnels. Une fois que le titre sera éteint, les autochtones perdront tout recours basé sur ce titre.

En plus de l'objectif général consistant à clarifier son titre de propriété sur l'ensemble de son territoire, le gouvernement déclare poursuivre trois objectifs particuliers en adoptant cette politique. Premièrement, il se dit prêt à reconnaître les droits fonciers des autochtones en négociant avec eux des règlements « justes, équitables et définitifs ». En échange de la cession de leurs droits territoriaux, les autochtones obtiendront des compensations financières et autres. Deuxièmement, le gouvernement estime que le règlement de leurs revendications doit permettre aux autochtones de « vivre comme ils l'entendent ». Quoique cet énoncé ne pêche pas par un excès de précision, on peut en déduire que le règlement de leurs revendications devrait être l'occasion pour les autochtones de faire des choix fondamentaux pour leur avenir, conformes à leurs valeurs propres. Troisièmement, le gouvernement veut s'assurer que les termes des règlements des revendications respecteront les droits de tous (autochtones et non-autochtones). En pratique, les droits acquis des tiers sur les terres revendiquées seront respectés par le gouvernement. Par exemple, le gouvernement n'entend pas exproprier des droits de coupe ou d'exploration minières ou des permis de pêche octroyés à des non-autochtones. Cela n'exclut toutefois pas des négociations pour le rachat de tels droits. Ainsi, une compagnie qui exploite des droits de coupe pourrait juger qu'il est préférable de se départir de ces droits, moyennant une compensation par le gouvernement, parce qu'il lui serait plus difficile et plus coûteux de devoir se soumettre à un nouveau code environnemental qui serait mis en place en vertu du règlement de cette revendication territoriale.

Il revient aux autochtones de présenter leurs revendications au gouvernement fédéral, qui en étudiera le bien-fondé. Celui-ci reconnaîtra le bien-fondé de ces revendications s'il juge que le groupe autochtone a établi qu'au moment de l'arrivée des Européens il constituait une société organisée, qu'il occupait des terres déterminées sur le territoire canadien, qu'il avait l'exclusivité de ces terres et qu'il n'a jamais signé de traité comportant la renonciation à ses droits ancestraux. Le fédéral pourra ensuite amorcer le processus de négociation.

Depuis l'adoption de cette politique, on reproche au gouvernement fédéral d'être à la fois juge et partie dans ce processus. En effet, c'est lui qui finance les recherches permettant de recueillir la documentation sur laquelle s'appuieront les revendications des autochtones, et c'est lui qui reçoit les revendications, les analyse et en détermine le fondement juridique. Il est également une des parties dans la négociation. En outre, il assume les coûts de cette négociation et, dans le cas où celle-ci aboutirait à une entente, au moins une partie des coûts du règlement convenu avec les autochtones.

Même quand la revendication porte sur le territoire d'une province, celle-ci n'entre en scène qu'au moment de la négociation, après avoir reçu copie de la revendication. La négociation devient alors tripartite, mettant en présence deux parties gouvernementales et une partie autochtone. Puisque les ententes éventuelles comportent des concessions sous forme de terres et de ressources naturelles, l'accord de la province en cause est essentiel à la conclusion d'un règlement. En effet, la Constitution canadienne attribue à chaque province canadienne la propriété de son territoire.

Les revendications sur le territoire québécois

Alors que le Québec a accepté d'être lié par cette politique fédérale dès son adoption en 1973, les provinces de Terre-Neuve et de Colombie-Britannique ont longtemps résisté à y participer. En Colombie-

Britannique, par exemple, l'ensemble des revendications territoriales des divers groupes autochtones, qui se chevauchent dans certaines régions, équivaut à 110 % du territoire de la province. En pratique, le gouvernement fédéral ne négocie pas une revendication si le gouvernement provincial en cause n'accepte pas de participer à la négociation. On imagine aisément que le processus de négociation peut être très complexe en pareil cas. Cela explique, en partie, pourquoi aucune revendication territoriale concernant une province n'a été conclue jusqu'à maintenant, à part la convention de la baie James et du Nord québécois, qui a vu le jour dans un contexte d'urgence politique.

Parmi toutes celles qui ont été déposées, deux revendications majeures portent sur le territoire québécois. D'abord, la revendication territoriale des Attikameks et des Montagnais est en négociation depuis 1979, ce qui illustre la difficulté d'en arriver à un accord au cours d'un processus aussi complexe, en l'absence d'une urgence politique. Ensuite, la revendication territoriale des Algonquins du Québec, qu'étudient en ce moment le gouvernement fédéral et le gouvernement du Québec, porte sur un immense territoire dans l'Ouest québécois. Des divisions au sein des communautés algonquines font en sorte que le gouvernement fédéral refuse pour l'instant d'amorcer la négociation. Certaines communautés s'opposent à la négociation de la revendication selon les paramètres actuels qui supposent l'extinction de leurs droits, alors que d'autres communautés croient que la négociation est la seule voie qui permettrait aux Algonquins de se voir reconnaître des droits au Québec. D'autres revendications, comme celle des Mohawks, qui a déjà été rejetée par le gouvernement fédéral, ont refait surface à la suite de la crise d'Oka. Les Inuits et les Innus (Indiens) du Labrador (Terre-Neuve) revendiquent également des droits sur une portion du territoire québécois.

Le gouvernement fédéral a accepté de négocier la revendication des Inuits du Labrador, qui fera intervenir le gouvernement du Québec pour la portion de cette revendication qui porte sur son territoire. Par contre, le gouvernement du Québec s'est engagé envers les Inuits du Québec à ne pas conclure d'entente avec les Inuits du Labrador tant que le gouvernement de Terre-Neuve ne reconnaîtra pas les droits des Inuits du Québec sur le territoire du Labrador.

Les terres occupées traditionnellement par les autochtones avant le découpage des frontières actuelles des provinces chevauchent, dans plusieurs cas, plus d'une province. Il n'y a pas de cohérence dans les positions adoptées par les diverses provinces. Il va sans dire que le gouvernement de Terre-Neuve, par exemple, n'est pas lié, vis-à-vis des Inuits résidant au Labrador, par l'entente que le Québec a conclue avec les Inuits du Québec dans la convention de la baie James et du Nord québécois. À l'inverse, dans l'éventualité d'une négociation avec les Inuits du Labrador, le gouvernement du Québec ne sera pas lié par l'entente que Terre-Neuve aura conclue avec eux pour le Labrador. Cela donne une idée de la complexité de ce processus et de ses enjeux.

La revendication des Attikameks et des Montagnais du Québec

La négociation de la revendication territoriale des Attikameks et des Montagnais est la seule négociation de ce type actuellement en cours au Québec. Amorcée en 1979, elle se poursuit très lentement depuis. Cette négociation a connu des cycles de discussions intensives suivis d'interruptions plus ou moins longues, jusqu'à l'éclatement du Conseil des Attikameks et des Montagnais, survenu en 1994. Cette rupture du groupe représentant les deux nations a entraîné la création de tables séparées de négociations. La négociation n'a pas, en 1997, émergé de la période de flottement qui s'en est suivie.

Cette revendication territoriale porte sur le territoire du Québec et celui du Labrador, qui relève de Terre-Neuve. Le gouvernement du Canada a donc accepté dans ce cas de mener deux processus de négociation tripartite : le premier comprend les gouvernements du Canada et du Québec ainsi que les Attikameks et les Montagnais, et le deuxième réunirait éventuellement les gouvernements du Canada et de Terre-Neuve et les Montagnais, puisque les Attikameks ne revendiquent pas de droits à Terre-Neuve.

En pratique, seule la table de négociation concernant le territoire québécois est à l'œuvre, puisque la province de Terre-Neuve a refusé d'y participer tant qu'elle n'aura pas réglé les revendications des autochtones (Inuits et Indiens) résidant sur son territoire, ce qui ne saurait être fait avant plusieurs années.

Après plus de dix-huit ans de négociations plus ou moins soutenues, les parties ne sont pas arrivées à conclure une entente de principe. Une entente-cadre qui définit le plan de travail a été signée ; une entente sur des mesures provisoires a suivi et est arrivée à son terme, sans être renouvelée.

Sans entrer dans le détail des divergences entre les parties à cette négociation, force est de constater que plusieurs facteurs viennent compliquer un processus qui, au départ, était déjà complexe. Qu'il suffise de mentionner qu'il n'y a pas seulement des divergences entre les parties gouvernementales, d'une part, et les autochtones, d'autre part. Il existe aussi des divergences quant au contenu et à la forme entre les gouvernements fédéral et québécois. Sans compter les divergences entre les Attikameks et les Montagnais que la négociation a révélées et qui ont amené, en 1993, les premiers à retirer officiellement au Conseil des Attikameks et des Montagnais le mandat de négocier en leur nom, et ce pour la deuxième fois depuis 1979. Les dissensions intestines ont fini par amener l'éclatement du Conseil en trois sous-groupes en décembre 1994, après que le gouvernement du Parti québécois, qui avait repris le pouvoir en septembre de la même année, eut déposé des offres formelles à la table de négociations. Les négociations se poursuivent avec chacun de ces sous-groupes : les Attikameks, les Montagnais du centre et les Montagnais de la Basse-Côte-Nord. La proposition québécoise a agi comme un catalyseur de l'expression claire des désaccords profonds qui ont toujours existé entre les deux nations tant au point de vue du contenu qu'au point de vue de la stratégie à adopter dans ces négociations. Elle prévoit diverses mesures d'aménagement du territoire de même que le versement de 342 millions de dollars à titre de compensation.

En plus des compromis inévitables qu'exige la présence de trois parties, ce genre de négociation porte sur un ensemble de sujets qui vont des terres attribuées jusqu'à l'éducation, en passant par des programmes de développement économique ou des programmes de gestion des ressources fauniques. La grande diversité de ces sujets amène l'intervention de plusieurs ministères à des tables sectorielles qui négocient sous l'autorité de la table centrale. Il s'agit là, on l'imagine, d'un processus qui ne peut donner des résultats à très court terme, même dans des conditions idéales.

* * *

En 1973, le gouvernement fédéral a accepté de négocier une série de revendications avec divers groupes autochtones partout au Canada.

Tous ces groupes autochtones se sont donc réunis, plus ou moins formellement au fil de ces années, pour mettre leurs préoccupations en commun. Ainsi s'est formé un mouvement qui lutte, depuis l'adoption de la politique fédérale, contre l'exigence préalable du gouvernement fédéral selon laquelle toute entente doit être finale et comporter la renonciation par les autochtones à leurs droits ancestraux. Mis à part les ententes intervenues entre le gouvernement fédéral et des autochtones dans les territoires fédéraux du Yukon et des Territoires du Nord-Ouest, toutes les négociations achoppent au moins sur ce point majeur.

Il est vrai que le gouvernement fédéral a essayé de contourner cette opposition en modifiant le vocabulaire qu'il utilise : on parle maintenant d'échange de droits ancestraux vagues et imprécis contre des droits définis dans une entente. Comme il apparaît que cela aboutit quand même à l'extinction de leurs droits, ce changement de terminologie n'a pu venir à bout des réticences de plusieurs groupes autochtones. Cette politique fédérale échappe au contrôle du gouvernement du Québec ; il se trouve partie à un processus dont il n'est pas le maître d'œuvre. Ainsi, même s'il a accepté de ne pas exiger l'extinction des droits des Attikameks et des Montagnais en échange de la signature d'une entente, il n'a pas autorité sur le gouvernement fédéral pour l'amener à modifier sa politique. Certains prétendent qu'il est d'autant plus facile pour le Québec de ne pas avoir une telle exigence que la politique fédérale la prévoit, ce qui oblige le gouvernement fédéral à en porter seul la responsabilité.

Comme dans tous les autres volets de la question autochtone, la reconnaissance constitutionnelle de 1982 marque un tournant capital en ce qui a trait aux revendications territoriales. Le gouvernement ne peut plus éteindre des droits ancestraux que la Constitution reconnaît désormais et protège d'une manière particulière. La politique fédérale équivaut donc aujourd'hui à demander aux autochtones de renoncer à des droits ancestraux que la Constitution garantit. Même si les droits ancestraux sont indéterminés, on comprend qu'un groupe autochtone puisse vouloir les conserver plutôt qu'en signer l'abandon. D'autant plus qu'on ne connaît pas encore la portée qu'auront ces droits dans l'avenir, qu'ils soient définis par les politiciens ou par les tribunaux.

Cette reconnaissance a fait augmenter les attentes des autochtones, comme les Attikameks et les Montagnais, qui n'ont jamais signé de traité de cession de leurs droits ancestraux sur le territoire.

Depuis 1987, le gouvernement fédéral a conclu des ententes avec des Indiens et des Inuits dans les territoires fédéraux (les Territoires du Nord-Ouest et le Yukon). Il faut noter que, dans ce cas, il s'agit en pratique d'une négociation bipartite entre le gouvernement fédéral et les autochtones, puisque ces territoires et les gouvernements territoriaux qui les administrent relèvent directement de l'autorité fédérale. Les règlements intervenus dans les territoires fédéraux constituent tout de même des « modèles » qui s'imposent, d'une certaine manière, aux provinces. En effet, l'application de la politique fédérale sur tout le territoire canadien appelle une certaine équité entre les accords conclus avec les divers groupes autochtones. Il serait difficile de justifier des ententes plus généreuses dans les territoires fédéraux que dans une province, par exemple. Il ne serait pas plus facile de justifier des ententes plus généreuses au Québec qu'en Colombie-Britannique.

Les droits territoriaux et l'autonomie gouvernementale

Les pressions des autochtones et les recommandations d'un groupe de travail gouvernemental, rendues publiques en 1985, ont amené le gouvernement fédéral à réviser sa politique de revendications territoriales globales en 1986 et en 1993. Cette nouvelle version de la politique prévoit qu'on peut convenir de mesures d'autonomie gouvernementale à l'intérieur d'un règlement d'une revendication territoriale.

Par contre, cette nouvelle version de la politique prévoit que la portion d'un accord portant sur les mesures relatives à l'autonomie gouvernementale n'est pas protégée par la Constitution, parce que, selon le gouvernement fédéral, les droits reconnus aux peuples autochtones dans la Constitution de 1982 ne comprennent pas le droit à l'autonomie gouvernementale. Les pouvoirs en matière d'autonomie gouvernementale qui peuvent être reconnus dans un accord sur des revendications territoriales sont des pouvoirs délégués par le gouvernement fédéral.

Ainsi, les futures ententes doivent comporter une mention expresse selon laquelle seuls les droits fonciers attribués par l'entente en échange de la cession par les autochtones de leurs droits ancestraux seront protégés par la Constitution. Autrement dit, dans les futures ententes, les autochtones devront renoncer à leurs droits ancestraux sur leurs terres traditionnelles en échange : 1. des droits fonciers définis dans l'entente, lesquels seront protégés par la Constitution à titre de droits issus d'un accord de revendications territoriales ; et 2. des mesures relatives à leur autonomie gouvernementale qui sont exclues explicitement de la protection constitutionnelle.

Cette nouvelle version de la politique fédérale sur les revendications globales est à l'opposé des positions défendues par les autochtones. Ceux-ci estiment au contraire que les droits reconnus par la Constitution depuis 1982 comprennent implicitement leur droit inhérent à l'autonomie gouvernementale. Il n'est donc pas étonnant que les vues diamétralement opposées du gouvernement fédéral et des autochtones sur ce point majeur constituent toujours une pierre d'achoppement dans la négociation des revendications territoriales.

CHAPITRE 7

Des peuples autochtones au Canada

Nous avons vu que la Constitution de 1982 reconnaît que les Indiens, les Inuits et les Métis constituent trois catégories de « peuples » autochtones.

Nous voici bien loin de la volonté d'intégrer les citoyens autochtones à la société canadienne préconisée par le gouvernement fédéral dans son Livre blanc de 1969. Non seulement on ne parle plus d'intégration des autochtones, mais on reconnaît qu'ils constituent des peuples disposant de droits collectifs protégés par la Constitution.

Cette reconnaissance est lourde de conséquences. Elle va dans le sens de l'argument des autochtones, qui affirment disposer encore aujourd'hui d'un droit inhérent à l'autonomie gouvernementale, c'est-à-dire d'un droit préexistant à l'établissement des souverainetés européennes en Amérique. Selon eux, ce droit de se gouverner indépendamment du gouvernement fédéral (et des gouvernements provinciaux) doit leur être explicitement reconnu. De plus, la reconnaissance du fait qu'ils constituent des peuples accrédite leurs prétentions aux droits reconnus aux peuples en droit international. Il ne faut donc pas s'étonner de voir les autochtones se réclamer de plus en plus du droit des peuples à l'autodétermination sur toutes les tribunes internationales disponibles.

De nouveaux partenaires politiques

La Loi constitutionnelle de 1982 crée également un précédent sur le plan de la procédure. Alors qu'on avait toujours légiféré à l'égard des autochtones en leur absence, on a introduit, en 1982, un processus de conférences constitutionnelles des premiers ministres qui devait servir à préciser le contenu des droits ancestraux ou des droits issus de traités.

Pour la première fois, on accordait également aux autochtones le droit de participer à des discussions constitutionnelles les concernant, ce processus étant jusque-là réservé aux premiers ministres. De même, pour la première fois, on a inscrit dans la Constitution le fait que les pourparlers constitutionnels ayant trait aux autochtones doivent se dérouler en leur présence. Mais il faut bien préciser qu'on ne leur accorde aucun droit de vote à ces conférences, même si celles-ci visent à déterminer leurs droits.

Les conférences constitutionnelles qui se sont déroulées entre 1983 et 1987 ont amené deux modifications principales. D'abord, malgré l'opposition formelle des représentants officiels des Indiens du Canada, les gouvernements ont tenu à inscrire dans la Constitution une mention selon laquelle les droits ancestraux et les droits issus de traités sont également reconnus aux hommes et aux femmes. Les gouvernements donnaient ainsi suite aux demandes des femmes indiennes qui se plaignaient que les bandes indiennes exerçaient de la discrimination à leur endroit. Les représentants des Indiens, eux, y voyaient une ingérence dans des questions de citoyenneté indienne, lesquelles, disaient-ils, relèvent de l'autonomie politique des Indiens. Ensuite, les gouvernements ont accepté d'ajouter à la Constitution la protection des droits issus d'ententes modernes réglant des revendications territoriales, comme la convention de la baie James et du Nord québécois.

Par contre, les autochtones reprochent aux gouvernements de ne pas avoir encore reconnu explicitement leur droit inhérent à l'autonomie gouvernementale. Leur revendication en ce sens avait pourtant trouvé un appui, en 1983, dans le rapport du Comité spécial de la Chambre des communes sur l'autonomie politique des Indiens (le rapport Penner). Sans pour autant se prononcer sur la nature de ce droit, ce comité avait recommandé qu'il soit enchâssé dans la Constitution, de telle sorte que les gouvernements autochtones forment un palier distinct de gouvernement ayant ses propres compétences. Mais ce ne sera pas la dernière fois, comme nous le verrons bientôt, que le gouvernement ne jugera pas opportun de donner suite aux conclusions d'un rapport portant sur ce sujet.

Définir le contenu des droits ancestraux et des droits issus de traités ne relève pas de l'évidence. Par exemple, les droits ancestraux constituent-ils un droit global qui pourrait se définir comme un droit collectif de se gouverner, d'adopter des lois indépendamment des lois fédérales et provinciales, et d'avoir des institutions politiques, administratives et judiciaires, ce qui reviendrait ni plus ni moins à l'autonomie gouvernementale ? Ou bien constituent-ils une série de droits particuliers et limités, comme le droit de chasser et de pêcher à des fins de subsistance uniquement, ou également à des fins commerciales, en n'importe quel temps de l'année et sur une certaine partie du territoire ? Ou encore les droits ancestraux comprennent-ils à la fois un droit global de se gouverner et des droits particuliers limités pour certains groupes d'autochtones selon leur histoire respective ?

Pour y avoir participé à titre de conseiller juridique des Indiens, je peux témoigner de la difficulté réelle que représente la négociation de ces questions constitutionnelles, compte tenu de la divergence des intérêts des parties en présence. Or, jusqu'ici, on n'est pas arrivé à s'entendre ni sur la définition de ces concepts, ni sur leur portée. Il n'est donc pas étonnant que les autochtones tentent de faire clarifier par les tribunaux ce qu'ils n'ont pu élucider sur la scène politique. Car, sous l'apparence anodine des faits entourant des causes comme les affaires Sparrow ou Sioui, il s'agit ni plus ni moins pour les Indiens d'ouvrir la voie à la reconnaissance par les tribunaux de leur droit à l'autonomie gouvernementale.

* * *

Parallèlement aux pourparlers constitutionnels, le gouvernement fédéral a amorcé un virage majeur dans l'exercice de sa compétence envers les autochtones. Jusqu'à la fin des années 50, il avait assumé directement la prestation de services aux autochtones (surtout aux Indiens). Ensuite, il a délégué aux autochtones la gestion de certains programmes limités. Depuis la fin des années 80, il a adopté une série de nouveaux modes de financement, qui non seulement décentralisent la gestion des programmes s'adressant aux autochtones, mais laissent à ces derniers une plus grande marge de manœuvre dans l'allocation des ressources. Selon le gouvernement fédéral, ce virage est une occasion de bâtir avec les autochtones une nouvelle relation de gouvernement à gouvernement.

La signature en 1994 d'une entente-cadre avec l'Assemblée des chefs du Manitoba a constitué une initiative importante du gouvernement fédéral sur ce chapitre. Cette entente prévoit le transfert graduel de l'autorité du ministère des Affaires indiennes aux Indiens du Manitoba. Elle contient notamment la reconnaissance du droit inhérent des Premières Nations du Manitoba à l'autonomie gouvernementale, l'abrogation de la Loi sur les Indiens à leur égard et le maintien du rôle de fiduciaire du gouvernement fédéral à l'endroit des Premières Nations du Manitoba. Le gouvernement estime que celles-ci devraient détenir l'autorité requise pour répondre aux besoins de leurs populations et recouvrer leurs compétences à titre de gouvernements autochtones, au terme de ce processus, qui doit durer dix ans.

Cette entente entre le fédéral et les autochtones prévoit, par ailleurs, que les deux parties pourront convenir de la participation du gouvernement provincial, du moins quand il sera question des domaines de compétence provinciale. Comme cet accord porte déjà sur le domaine de l'éducation, on constate que ce genre d'entente bipartite a une incidence sur les compétences provinciales. Cela ne pourra pas manquer d'avoir un effet d'entraînement sur les autres Premières Nations du Canada, qui seront peut-être moins disposées à se soumettre à une autorité provinciale alors qu'elles peuvent obtenir des responsabilités directement du gouvernement fédéral.

Le gouvernement de l'Ontario a pour sa part signé un accord politique avec les Indiens de son territoire en 1991, dans lequel il reconnaît leur droit inhérent à l'autonomie gouvernementale au sein de la fédération canadienne. Bien que cette reconnaissance gouvernementale n'ait pas de valeur légale, il n'en demeure pas moins qu'elle est une première au Canada. La valeur symbolique d'une telle reconnaissance ne doit pas être sous-estimée, puisqu'elle constitue désormais un acquis en deçà duquel les autochtones ne voudront pas revenir.

L'accord de Charlottetown, conclu en 1992, représente une autre étape dans cette évolution. On y prévoyait, entre autres choses, la reconnaissance du droit inhérent à l'autonomie gouvernementale pour les autochtones du Canada. Même si l'accord a été rejeté par la population canadienne, c'est dans ce contexte constitutionnel qu'on devra à l'avenir traiter de l'autonomie gouvernementale avec les autochtones.

Pendant la campagne électorale de l'automne de 1994, le Parti libéral du Canada a inscrit à son programme qu'il s'engageait à reconnaître, dans la Constitution, le droit inhérent à l'autonomie gouvernementale des autochtones. De retour au pouvoir, son chef, le premier ministre Jean Chrétien, est demeuré très discret sur la réalisation de cette promesse. Il est demeuré tout aussi discret sur le sujet depuis sa réélection au printemps de 1997. Rappelons que le premier ministre n'est nul autre que l'ancien ministre des Affaires indiennes, le promoteur du projet de transfert de l'autorité fédérale aux provinces de 1969, projet qui a été retiré devant l'opposition des Indiens. Autant Jean Chrétien a été actif, et contesté, quant aux questions autochtones, durant son règne de ministre fédéral, autant son attitude, depuis qu'il est devenu premier ministre en 1994, donne l'impression que ces questions ont été de nouveau reléguées à la marge du domaine politique. Les autochtones, et ils le lui reprochent amèrement, ne réussissent pas à attirer l'attention du premier ministre canadien (qui, par exemple, ne les a pas invités à participer aux discussions constitutionnelles de 1995).

L'appui de la Commission royale sur les peuples autochtones

Les autochtones ont toutefois obtenu un appui qui pourrait s'avérer déterminant, pour ce qui est de la reconnaissance d'un droit inhérent à l'autonomie gouvernementale, de la part de la Commission royale sur les peuples autochtones. Hésitant sur la stratégie globale à adopter, placé devant l'opposition de plusieurs provinces au cours de la série de conférences constitutionnelles des années 80 qui visaient à définir les nouveaux droits constitutionnalisés des autochtones dans la foulée de l'échec de l'accord du lac Meech et de la crise d'Oka en 1990, le gouvernement canadien a confié, en 1991, à une commission royale le mandat d'enquêter sur l'évolution de la relation entre les autochtones, le gouvernement canadien et l'ensemble de la société canadienne, et de proposer des solutions aux problèmes qui ont entravé ces relations et auxquels les autochtones doivent faire face aujourd'hui.

La Commission royale a alors décidé de mener une recherche sur les relations entre les gouvernements du Canada (fédéral, provinciaux et territoriaux) et les peuples autochtones au sujet de l'autonomie gouvernementale. À la demande de la Commission, j'ai réalisé l'étude portant sur les relations entre le gouvernement et les autochtones du Québec. Il s'agit d'un champ de recherche qui a été peu exploré jusqu'ici. Mes réflexions ont été enrichies par l'apport de plusieurs dizaines d'acteurs politiques et administratifs, autochtones et non autochtones, qui ont bien voulu répondre à mes interrogations et partager avec moi leur analyse de la question.

Dans deux documents rendus publics respectivement en 1992 et en 1993, la Commission a adopté la position selon laquelle la Constitution actuelle reconnaît, à l'article 35 de la Loi constitutionnelle de 1982, le droit à l'autonomie gouvernementale des autochtones. Selon la Commission, toute modification éventuelle de la Constitution devrait préciser que ce droit est inhérent, pour dissiper tout doute à ce sujet.

Compte tenu de ses positions antérieures, il n'est pas étonnant que la Commission ait repris son propos dans son rapport final. Rendu public en novembre 1996, deux ans après l'échéance prévue au départ, ce rapport de 4 000 pages, qui traduit bien l'ampleur du mandat de la Commission, préconise une véritable révolution. Cependant, il a rencontré une indifférence à peu près générale. Dans les cinq volumes de son rapport, la Commission aborde aussi bien des sujets globaux, comme le droit inhérent à l'autonomie gouvernementale ou la quête d'appartenance de jeunes autochtones, que des sujets particuliers, comme les objets sacrés et profanes du patrimoine autochtone ou l'utilité des aliments du terroir.

Dans le premier volume, intitulé *Un passé, un avenir,* la Commission royale présente une « frise de l'histoire canadienne » qui révèle, selon elle, un portrait peu flatteur des relations antérieures entre les Canadiens et les autochtones. Ces relations ont en effet été marquées par une approche assimilatrice cherchant à éliminer les institutions et les cultures autochtones, et à les absorber dans le corps politique canadien, de manière à les rendre invisibles. Après quatre ans de réflexions, de recherches et de consultations, la Commission conclut à la nécessité d'une redéfinition fondamentale de la relation entre les autochtones et les non-autochtones au Canada. Cette redéfinition devrait être amorcée par un engagement des gouvernements et des peuples autochtones à renouveler leur relation sur la base des principes moraux suivants : la reconnaissance mutuelle, le respect mutuel, le partage et la responsabilité mutuelle.

Dans le deuxième volume, intitulé *Une relation à redéfinir,* la Commission reprend ses conclusions préliminaires, à savoir que l'article 35 de la Loi constitutionnelle de 1982 reconnaît et confirme le droit inhérent à l'autonomie gouvernementale des autochtones, comme droit ancestral et comme droit issu de traités. Puisque ce droit est inscrit dans la Constitution, la Commission considère qu'il permet déjà aux gouvernements autochtones d'agir comme un ordre de gouvernement distinct au Canada, c'est-à-dire comme un troisième ordre de gouvernement, parallèlement à l'ordre fédéral et à l'ordre provincial.

De plus, la Commission recommande que tous les gouvernements canadiens reconnaissent que les peuples autochtones sont des nations possédant le droit à l'autodétermiation. Se réclamant des normes qui émergent actuellement en droit international, la Commission estime que ce droit autorise les autochtones à négocier librement les conditions de leur relation avec le Canada et à se doter des structures gouvernementales qu'ils jugent appropriées. Toutefois, ce droit ne « déboucherait ordinairement pas sur le droit à la sécession, sauf en cas d'oppression grave ou de désintégration de l'État canadien ». L'analyse détaillée de cette proposition juridique dépasse le propos de ce livre. Mais il est important de retenir qu'elle vient renforcer les positions constitutionnelles soutenues par les autochtones depuis 1982.

Il est frappant de constater que, à l'occasion de la publication de ce rapport, les médias, tout en reconnaissant que la situation actuelle des autochtones est intenable, ont axé leurs commentaires, d'une part, sur le coût disproportionné de chacune des 4 000 pages de ce rapport comparativement au coût global des travaux de la commission (58 millions de dollars) et à la durée de ses travaux (plus de quatre ans), et, d'autre part, sur le fardeau que représenterait l'investissement de 30 milliards de dollars répartis sur les vingt prochaines années que recommande la Commission. Depuis, c'est le silence à peu près complet, tant dans les milieux gouvernementaux que sur la place publique. Après la publication du rapport, le ministre fédéral des Affaires indiennes s'est borné à indiquer que le gouvernement fédéral n'allouerait pas d'« argent neuf » pour réaliser les recommandations de la Commission, ce qui pourrait équivaloir à une réponse négative à plusieurs de ces recommandations. La nature et l'ampleur des réformes suggérées par la Commission en ont surpris plus d'un. Cet effet de surprise profite au gouvernement fédéral, qui s'estime dans son bon droit de prendre tout son temps avant de se prononcer formellement sur ces propositions.

CHAPITRE 8

Pourquoi faut-il encore négocier la convention de la baie James et du Nord québécois ?

Le 14 juillet 1971, le premier ministre du Québec, Robert Bourassa, faisait adopter une loi qui concrétisait son intention de procéder à un gigantesque développement hydro-électrique dans la région de la baie James, qui devait générer plus de 100 000 emplois. Ce « projet du siècle », qui avait d'abord été une promesse électorale, se voulait le symbole de la réussite de la technologie québécoise. Il représentait également des dizaines de milliers d'emplois spécialisés pour les Québécois. Il impliquait par contre l'inondation d'importants territoires où vivaient de nombreux autochtones qui n'avaient été ni consultés ni informés à ce sujet.

Ces territoires avaient été transférés par le gouvernement fédéral au Québec au moment de l'extension de ses frontières en 1912. Le Québec avait alors accepté de reconnaître les droits des « habitants sauvages » qui y vivaient et consenti à la « remise de ces droits », tout en en assumant les coûts. Il était bien sûr précisé que tout ce processus était soumis à l'approbation du gouvernement fédéral, qui demeurait responsable des autochtones.

Quelques années avant l'annonce du projet de la baie James, l'Association des Indiens du Québec avait entrepris, au nom de ses 30 000 commettants, des pourparlers avec le gouvernement québécois, dans le but de négocier le règlement de certaines revendications territoriales. Cette association avait déposé au gouvernement du Québec un premier mémoire, en 1967, sur les droits de chasse et de pêche et un second, en 1969, sur les droits territoriaux. Le Québec avait même constitué, en 1970, la Commission de négociation des affaires indiennes.

Déjà, en 1966, le gouvernement avait mis sur pied la Commission d'étude sur l'intégrité du territoire, présidée par le géographe Henri Dorion. Après que les Indiens eurent déposé leur mémoire sur leurs droits territoriaux, la Commission décida d'examiner cette question d'une manière plus approfondie que ne le prévoyait son mandat à l'origine. La commission Dorion remit au gouvernement le volume 4 de son rapport intitulé *Le Domaine indien*, le 5 février 1971. Elle y soulignait qu'elle avait eu à traiter d'un « problème délicat et trop facilement politisable ». Et elle disait avoir tenté d'élaborer des solutions « dans le cadre plus large d'une politique intégrée[1] ».

La Commission concluait que les Indiens et les Esquimaux (Inuits) s'étaient fait reconnaître certains droits sur des parties du territoire du Québec. Cette conclusion l'amenait à formuler trente-trois recommandations, dont une qui invitait le gouvernement du Québec à « honorer les obligations » contractées par les lois d'extension des frontières de 1912 en signant avec les Indiens du Québec une entente pour tout le territoire de la province. La Commission recommandait de plus au gouvernement du Québec d'engager sans délai des pourparlers avec le gouvernement fédéral pour rapatrier au Québec la compétence sur les autochtones du Québec.

La Commission préconisait également diverses mesures, dont l'adoption d'une loi-cadre québécoise sur les Amérindiens, la reconnaissance de titres clairs de propriété sur les établissements actuels occupés par ces derniers, la création de municipalités amérindiennes jouissant de mesures spéciales de protection pour remplacer les réserves indiennes et l'élection par les Amérindiens d'un député amérindien à l'Assemblée nationale du Québec, dont le district électoral serait formé de l'ensemble des municipalités amérindiennes.

Forte des conclusions de la commission Dorion et se fondant sur les obligations légales que le Québec avait contractées à l'occasion de l'extension de ses frontières en 1912, l'Association des Indiens du Québec déposa, en 1972, une requête en injonction provisoire afin de stopper le projet hydro-électrique du gouvernement du Québec. Contester ce projet signifiait également s'attaquer à Hydro-Québec, un des maîtres d'œuvre de cette réussite collective récente. Cette contestation judiciaire

---

1. Québec, Rapport de la Commission d'étude sur l'intégrité du territoire : le Domaine indien, vol. 4. 1, 1972, p. 12, 14.

apparaissait comme un affront direct aux volontés politiques gouvernementales et à l'institution qui symbolisait, à ce moment, la fierté
collective des Québécois.

La requête fut accordée en première instance par le juge Albert
Malouf. Il est important de noter que le juge accorda la requête seulement aux bandes cries, qui résidaient sur le territoire contesté, estimant
que l'Association des Indiens ne possédait pas les intérêts requis par la
loi pour intenter un recours dans cette cause. Les Indiens furent ensuite
déboutés en appel. Selon la Cour d'appel, qui jugea que « la balance des
inconvénients » penchait en faveur du gouvernement, les intérêts des
6 000 autochtones vivant sur le territoire en question ne faisaient pas le
poids face à ceux de l'ensemble des 6 millions de citoyens québécois.
Après que les Indiens eurent inscrit la cause en appel devant la Cour
suprême du Canada, le gouvernement du Québec proposa aux Cris et
aux Inuits (qui s'étaient joints à la procédure des Indiens) de négocier
un règlement de ce litige, à condition d'exclure de la négociation les
revendications des autres Indiens sur d'autres parties du territoire québécois. C'est ainsi que se mit en branle le processus de négociation tripartite (les gouvernements fédéral et provincial et les autochtones).

Cette négociation provoqua des remous au sein de l'Association des
Indiens du Québec. On y reprochait aux Cris de négocier pour leur seul
profit et d'écarter les autres Indiens du processus. Cela mena à l'éclatement de l'Association, qui se redéfinit en une Confédération des Indiens
du Québec, laquelle se saborda quelques années plus tard.

Les Montagnais et les Naskapis de Schefferville, même s'ils étaient
résidants du territoire qui faisait l'objet de la négociation, n'avaient pas
été invités à y participer en 1972. En février 1975, les gouvernements du
Canada et du Québec se ravisèrent et les invitèrent à la table de négociations. Les Montagnais exigèrent alors que le gouvernement négocie
en même temps les revendications des huit autres bandes montagnaises
qui n'étaient pas résidantes du territoire de la baie James. Devant le refus
du gouvernement, les Montagnais de Schefferville, par solidarité avec
les autres Montagnais, refusèrent de signer une entente pour leur seul
bénéfice. De leur côté, les Naskapis acceptèrent de participer aux négociations et conclurent, en 1978, la convention du Nord-Est québécois,
une entente accessoire de la convention de la baie James et du Nord
québécois.

Le parlement fédéral ratifia la convention de la baie James et du

Nord québécois par une loi qui éteignait les droits de tous les autochtones sur la partie du territoire du Québec touchée par l'entente (qu'ils en soient signataires ou non). Les Indiens qui n'avaient pas participé à la négociation de l'entente et qui ne l'avaient donc pas signée, tentèrent vainement d'empêcher l'adoption de cette loi fédérale qui éteignait leurs droits de façon unilatérale et sans compensation. Il faut dire également que trois villages inuits, qui s'opposaient au texte de l'entente, refusèrent de la signer. De nombreux groupes autochtones reprochèrent aux Cris d'avoir renoncé à leurs droits sur leurs terres traditionnelles en échange d'une compensation et d'avoir accepté l'extinction, sans compensation, des droits des Indiens qui n'étaient pas signataires de cette entente.

L'entente

La Convention de la baie James et du Nord québécois a été signée le 11 novembre 1975, après deux ans de négociations intenses entre, d'une part, le gouvernement du Canada et le gouvernement du Québec et, d'autre part, les 10 communautés d'Indiens cris ainsi que les 14 communautés d'Inuits du Québec. Cette entente porte sur une partie du territoire nordique du Québec couvrant une superficie de 656 000 kilomètres carrés.

Ce texte de 483 pages est divisé en 30 chapitres qui traitent de sujets aussi divers que le régime des terres, l'éducation, la justice, la santé, les ressources fauniques, le développement hydro-électrique, l'environnement et les compensations monétaires. La convention a établi dans ce territoire 3 catégories de terres : les terres de la catégorie I (5 200 kilomètres carrés), sur lesquelles les autochtones ont des droits de propriété et qui sont administrées par des corporations locales et régionales autochtones ; les terres de la catégorie II (161 600 kilomètres carrés), où les autochtones ont des droits exclusifs de chasse, de pêche et de piégeage, sans droit d'occupation toutefois ; les terres de la catégorie III (la plus grande partie du territoire), sont accessibles à toute la population, y compris aux autochtones, qui y ont des droits non exclusifs de chasse, de pêche et de piégeage. Fait à remarquer, la proportion de terres qui sont devenues la propriété des autochtones (5 200 kilomètres carrés) est peu importante par rapport à l'ensemble des terres visées par la convention (656 000 kilomètres carrés).

La Convention a également établi un programme de sécurité du

revenu des chasseurs, un régime spécial de protection de l'environnement, une série de corporations publiques locales et régionales, des
organismes de gestion et de cogestion des divers services à la population, bref une structure bureaucratique très complexe. On a instauré des
régimes distincts pour les Cris et les Inuits. Ces deux groupes ont donc
leurs institutions propres qui fonctionnent en parallèle et qui gèrent des
territoires différents. Ainsi, les gouvernements locaux inuits sont de type
municipal alors que les gouvernements locaux cris ont conservé le
mode fédéral de gestion des bandes indiennes. Dans le domaine des services, on a reproduit les structures québécoises. En éducation, par
exemple, on a créé une commission scolaire pour les Cris et une autre
pour les Inuits. De même, dans le domaine des services de santé et des
services sociaux, on a mis en place un conseil régional cri et un conseil
régional inuit, calqués sur les conseils régionaux québécois.

En signant cette entente, les autochtones ont reçu diverses compensations, dont une indemnisation de plus de 225 millions de dollars, en
échange de la renonciation à leurs droits sur le territoire nordique du
Québec.

La Convention a permis au Québec de consolider son autorité sur
les Inuits et d'assujettir les Cris (et, plus tard, les Naskapis). En effet, la
quasi-totalité des institutions créées par la Convention sont désormais
sous la responsabilité du Québec. Jusqu'à cette date, les Indiens cris et
naskapis relevaient de l'autorité exclusive du gouvernement fédéral. La
convention de la baie James et du Nord québécois les a fait passer, en
grande partie, sous l'autorité du Québec. Le gouvernement fédéral se
trouvait ainsi à se départir, du moins dans une certaine mesure, des responsabilités qu'il assumait jusque-là. Présenté comme un gain par le
gouvernement du Québec, ce transfert d'autorité aura, comme nous le
verrons, des effets à très long terme pour celui-ci.

La convention de la baie James et du Nord québécois constitue un
événement marquant à plusieurs égards. Il s'agit de l'unique entente
intervenue sur le territoire québécois dans le contexte de la politique
fédérale de négociation des revendications territoriales contemporaines
des autochtones du Canada, et même de la seule entente portant sur le
territoire d'une province canadienne depuis l'adoption de cette politique fédérale en 1973.

Elle marque l'aboutissement de procédures judiciaires, que des
Indiens intentaient pour la première fois au Québec, en vue de faire

reconnaître leurs droits territoriaux. Celles-ci les ont propulsés au devant de la scène politique au moment où ils décidaient de s'opposer à un projet de développement qui devait créer une multitude d'emplois pour les travailleurs québécois. La Convention a été conclue dans des circonstances exceptionnelles, finissant par laisser à toutes les parties l'impression que le prix à payer était très élevé.

Des lendemains qui déchantent

Publié par le gouvernement du Québec, le texte de l'entente est précédé du discours que le député John Ciaccia, représentant spécial du premier ministre Robert Bourassa chargé des négociations, avait prononcé au moment du dépôt de l'entente à l'Assemblée nationale. Il y décrivait l'entente comme un événement majeur pour l'Amérique du Nord. Selon lui, cette convention permettait de remplir les obligations contractées en 1912 par le gouvernement du Québec à l'égard des autochtones, tout en affirmant la présence québécoise sur tous les territoires compris à l'intérieur de ses frontières. Les autochtones étant des habitants du Québec, le porte-parole du gouvernement considérait comme « normal et naturel » que le Québec assume à leur endroit les mêmes responsabilités que celles qu'il assume envers le reste de la population. D'après lui, le gouvernement avait saisi l'occasion que lui offraient ces négociations pour « réorganiser le territoire et y implanter les institutions et les structures qui confirmeront le rôle qu'il entend y jouer[1] », les collectivités autochtones disposant désormais de leurs administrations locales comme les autres municipalités du Québec.

Refusant d'y voir une « entente de morceaux de terre et de gros sous », John Ciaccia jugeait que cet accord permettait aux autochtones de participer pleinement à la vie du Québec « tout en sauvegardant leur culture distinctive » et établissait, une fois pour toutes, pour le Québec le pouvoir de disposer du territoire conformément à l'intérêt public et à sa politique. Aux yeux des responsables gouvernementaux de l'époque, la convention de la baie James et du Nord québécois apparaissait comme la première véritable politique d'ensemble de l'État québécois vis-à-vis des populations autochtones de son territoire.

---

1. La Convention de la baie James et du Nord québécois et les Conventions complémentaires, Éditeur officiel du Québec, page XIII ss.

Du côté des Indiens, le discours était également enthousiaste, du moins au début. Huit ans après la signature de cette entente, Billy Diamond, porte-parole des Cris, la qualifiait de « Charte des droits des Cris ». Il rappelait que son peuple avait participé activement à l'élaboration de cette entente qui, « compte tenu des circonstances et des forces énormes contre les Cris à l'époque, constituait un compromis acceptable pour eux[1] ».

Depuis, le ton a changé du tout au tout. Quinze ans après la signature, les Cris dénoncent cette entente qu'ils estiment désormais avoir entérinée sous la contrainte. Le pouvoir a changé au sein des institutions politiques cries où une nouvelle génération, plus scolarisée, est venue joindre celle qui avait signé l'entente. La mise en place de la pléthore d'organismes politiques et administratifs créés par la Convention a permis à plusieurs représentants de cette génération de plonger très tôt dans l'action politique, et nombre d'entre eux en ont fait leur profession. Ne se jugeant pas liée par les engagements pris par ses prédécesseurs, cette génération sent, au contraire, le besoin de se démarquer d'eux en se montrant très critique face aux résultats obtenus après quinze ans d'application de la Convention. Elle a même tendance à imputer à la Convention la stagnation de la situation socioéconomique de la population crie.

Un document déposé par le Grand Conseil des Cris du Québec devant la Commission des droits de l'homme de l'O.N.U., à sa 48e session (27 janvier-6 mars 1992), rapporte les propos de divers porte-parole cris. Intitulé *Submission — Status and Rights of the James Bay Crees in the Context of Quebec's Secession from Canada*, ce document cite le chef Matthew Coon-Come, qui estimait, en 1991, que la Convention était devenue le rappel honteux de la mauvaise foi et de l'ingratitude du Canada, et qu'elle était désormais infâme en tant que premier traité moderne non respecté.

Le même document reprend des propos de Billy Diamond, qui tranchent nettement avec ceux qu'il avait tenus quelques années plus tôt. En effet, celui-ci considérait, en 1992, que les circonstances de l'époque ne laissaient pas d'autre choix aux Cris que de signer cette

---

1. Québec, Assemblée nationale, Commission permanente de la présidence et de la Constitution, Journal des Débats : Commissions, 4e session, 32e législature, n° 66, p. B9237-38 (22 novembre 1983).

Convention. Il soutenait, de plus, qu'il ne l'aurait pas signée s'il avait su comment les engagements solennels consacrés dans la Convention seraient ensuite mal interprétés et ignorés.

En fait, les Cris reprochent aux gouvernements — tant canadien que québécois — un ensemble de problèmes, qui constituent selon eux des violations de leur droit à l'autodétermination : le manque d'autonomie gouvernementale, une participation insuffisante à la vie politique de l'État, des inégalités économiques, le manque de reconnaissance de leurs coutumes par l'État, la réalisation de projets de développement hydro-électriques sans leur consentement et sans études environnementales acceptables, la destruction de sites culturels et funéraires sacrés, la destruction de terrains de chasse et de trappe ou encore le refus de reconnaître leurs droits sur le territoire au large des côtes canadiennes.

Plus, c'est le fondement même de la Convention qui est remis en cause par les Cris. Ils considèrent que l'extinction de leurs droits à laquelle ils ont consenti à leur corps défendant en 1975 va à l'encontre de ce qu'ils considèrent comme leur droit à l'autodétermination, et ne tient plus. Les relations des Cris avec les gouvernements ont ainsi évolué depuis vingt ans dans un climat de tension qui a généré aussi bien de nouvelles poursuites judiciaires que de nouvelles ententes. En effet, les gouvernements ont accepté de signer dix ententes complémentaires depuis 1975, qui sont venues modifier certains chapitres de la convention originale. Ce qui est étonnant, c'est qu'ils n'aient pas obtenu en retour l'adhésion des Cris à un minimum de principes directeurs inscrits dans cette convention. Au contraire, les divergences de points de vue sont fondamentales. Ainsi, les Cris nient avoir cédé tous leurs droits au moment de la signature de la Convention, alors que les gouvernements affirment que ces droits ont été éteints par la loi fédérale adoptée à la suite de la signature de l'entente.

De telles divergences d'idées au moment des négociations de la Convention étaient dans l'ordre des choses. Mais qu'il en soit toujours ainsi vingt ans plus tard soulève bien des questions. Le plus surprenant, c'est que les positions de chacun sont toujours aussi irréconciliables, en dépit du fait que les parties ont signé toute une série d'ententes complémentaires. C'est comme si on n'avait pas réussi à désamorcer l'esprit de contestation judiciaire qui est à l'origine de cette convention. On a l'impression que les Cris ne sont jamais devenus de véritables partenaires de cette entente, mais qu'ils sont toujours restés dans leur position initiale d'opposants à l'action gouvernementale.

Le texte de la Convention est le reflet des circonstances dans lesquelles elle a été négociée. On y décèle l'atmosphère fébrile de la procédure judiciaire, où chacun cherche à sauver sa mise. Comme toute entente conclue dans un tel contexte, la Convention représente une façon d'acheter la paix, un tissu de compromis et de formules floues qui permettent à chaque partie de rester sur ses positions quant aux principes défendus. Elle trahit aussi la présence de plusieurs équipes de négociation parallèles qui ont élaboré chacune une portion du texte.

Il est vrai que cette convention constitue la première expérience canadienne de ce type. On ne pouvait pas s'inspirer de modèles, ni au Canada ni ailleurs dans le monde.

Par-dessus tout, l'absence de processus de mise en œuvre et d'échéancier précis pour la réalisation des engagements des deux gouvernements a représenté, dès le départ, une source de tensions et d'insatisfaction profonde chez les autochtones. Par exemple, l'emploi de termes comme « aussitôt que possible après la signature de la convention », « dans la mesure où les restrictions budgétaires le permettent », « les gouvernements prennent toutes les mesures raisonnables » ou encore « sous réserve de l'étendue de la participation financière ainsi que des ordres de priorité convenus par les parties » accorde une très grande latitude dans l'accomplissement des engagements gouvernementaux. Comment savoir à quel moment cette latitude devient négligence face au respect de ces engagements ? De telles clauses offrent amplement d'occasions de poursuites judiciaires.

La mise en œuvre de la Convention s'est déroulée sans véritable plan d'ensemble. Elle s'est plutôt réalisée au gré des interventions des divers ministères en cause ; pour cette raison, elle ne s'est pas faite au même rythme dans tous les secteurs. Dans son rapport annuel de 1995, le gouvernement fédéral reconnaît que l'application de la Convention a été plus longue et plus complexe que prévu. D'ailleurs, ce n'est qu'en 1990 qu'il s'est entendu avec les Inuits et les Naskapis sur un plan de mise en œuvre de leur convention respective. Des négociations se poursuivent toujours à ce sujet entre le gouvernement du Canada et les Cris.

La présence même de plusieurs parties à l'entente génère des problèmes divers, allant de la difficulté logistique de réunir toutes les parties à la conciliation des intérêts de tout le monde. C'est ainsi que les deux parties gouvernementales ne partagent pas nécessairement les mêmes intérêts. Historiquement, les relations entre le Canada et le Québec ont été ardues. Il n'en est pas autrement dans les questions délicates relatives aux autochtones. De plus, la question des terres attribuées aux autochtones par la Convention importait plus au Québec, qui en est propriétaire, qu'au gouvernement fédéral. À l'intérieur même de l'appareil gouvernemental, l'arbitrage entre les différents ministères sur ces questions continue d'exiger beaucoup de temps et d'énergie. Par exemple, l'importance qu'Hydro-Québec a prise ou que l'État québécois lui a laissé prendre, au fil des ans, dans les dossiers autochtones, dont celui-ci, mériterait une analyse, qui dépasse le propos de ce livre.

Le statut des Inuits

Ironiquement, la négociation de la convention de la baie James, un traité signé avec les Blancs, a provoqué un rapprochement entre les Inuits et les Cris, deux groupes qui n'avaient pas jusqu'alors des relations très suivies. Leur opposition au projet gouvernemental de la baie James les a mis dans une situation d'alliés objectifs dans la lutte pour la reconnaissance de leurs droits. Cela n'implique pas pour autant des visées similaires chez les deux groupes. Ces différences se reflètent notamment dans la structure même du texte de l'entente. Ainsi, presque tous les programmes établis dans l'entente sont dédoublés, les Indiens et les Inuits ayant chacun leur régime propre. En outre, les structures gouvernementales autochtones créées par la Convention sont particulières à chacun de ces deux groupes. Il faut dire que les relations contemporaines des deux groupes avec les gouvernements diffèrent largement. Les Inuits entretiennent des relations avec le gouvernement du Québec depuis plus longtemps que les Cris, parce que le gouvernement fédéral a choisi de ne pas exercer sa responsabilité à l'égard des Inuits de la même façon qu'il l'a fait pour les Indiens.

Dans les années 30, un conflit était survenu entre le gouvernement du Québec et le gouvernement du Canada au sujet de l'autorité constitutionnelle sur les Esquimaux (qu'on appelle « Inuits » depuis les années 70). Le Canada prétendait que sa compétence était limitée aux Indiens, comme le précise la Constitution. Par contre, le ministère fédéral des Affaires indiennes a assumé le paiement de prestations d'aide sociale tant aux Indiens qu'aux Esquimaux jusqu'en 1929. Après cette date, le ministère fédéral de l'Intérieur se faisait rembourser l'aide sociale payée aux Esquimaux par le Québec, qui refusa de payer après quelques années.

À la suite de ce refus, le Canada a demandé, en 1935, l'avis de la Cour suprême du Canada, qui a conclu que les Esquimaux relevaient de la compétence du parlement fédéral. Selon la Cour, le terme « Indiens » employé dans la Constitution comprenait les Esquimaux. Par contre, le législateur fédéral les a soustrait à l'application de cette loi. Les Esquimaux ne disposaient donc pas du système des réserves indiennes ni des exemptions de taxes qui y sont rattachées. En fait, le gouvernement fédéral a alors fait passer les Esquimaux sous l'autorité de la province, en choisissant de ne pas exercer son autorité constitutionnelle sur eux.

En 1949, le gouvernement fédéral a tout de même commencé à donner des services de santé et d'éducation aux Inuits du Québec, alors que s'ouvraient une école et une infirmerie à Port-Harrison et à Fort-Chimo. Une certaine concurrence entre le gouvernement fédéral et le gouvernement du Québec s'est donc installée sur le terrain, dans les services aux Inuits du Québec.

Le premier ministère fédéral du Nord canadien et des Ressources nationales a été créé en 1953. Jean Lesage a été le premier titulaire de ce ministère, avant d'être premier ministre du Québec. À cette époque, le gouvernement fédéral, y compris le ministre, semble-t-il, a considéré la relocalisation des Inuits plus au sud, parce qu'il estimait que cela faciliterait la prestation des services à ces peuples et que ceux-ci n'avaient pas de possibilité de survivre en tant qu'ethnies distinctes. Cette solution n'a finalement pas été retenue.

Le gouvernement fédéral a quand même procédé à plusieurs relocalisations forcées de ces communautés, sous divers motifs. On a invoqué parfois des questions administratives (« cela simplifierait l'administration gouvernementale »), parfois des motifs humanitaires (« cela faciliterait la vie des Inuits »). Certains observateurs ont même mentionné d'autres motifs moins avouables, par exemple dans le cas des Inuits qui ont été déplacés dans l'extrême Arctique et dont le déplacement aurait servi à préserver la souveraineté du Canada sur cette partie du globe, qui faisait toujours l'objet de prétentions de la part d'autres pays, au moment de la guerre froide. Alors qu'elles devaient améliorer leur situation, nombre de ces relocalisations ont entraîné des conditions de vie pitoyables.

La convention de la baie James a formalisé les rapports des Inuits avec le gouvernement québécois en 1975. En juin 1991, le gouvernement du Québec a d'ailleurs signé une entente avec les Inuits (le Comité constitutionnel du Nunavik) par laquelle le Québec s'engage à négocier une forme de gouvernement autonome pour les résidents du Nunavik. Le préambule de l'entente réfère à la volonté des « résidents du Nunavik d'établir un nouveau rapport avec le Québec de sorte que les deux parties continuent d'évoluer harmonieusement ».

En octobre 1991, le gouvernement du Québec a signé une autre entente avec les Inuits, par laquelle les deux parties s'engagent à revoir conjointement la mise en œuvre de la convention de la baie James et du Nord québécois. C'est la Société Makivik, laquelle a succédé à la Northern Quebec Inuits Association, laquelle avait signé la convention de la baie James et du Nord québécois, qui a ratifié l'entente au nom des Inuits. Cette société joue à la fois le rôle de porte-parole politique, d'agent de développement économique et social des Inuits et d'administrateur des fonds d'indemnités qui leur ont été versés en vertu de la Convention.

L'entente stipule également qu'il faudra tenir compte des négociations en cours au sujet de l'autonomie gouvernementale des Inuits. Une entente-cadre a été signée en juillet 1994 entre les Inuits et le gouvernement du Québec, qui prévoit la création d'un corps politique dans le Nunavik, un territoire au nord du 55e parallèle qui représente le tiers du territoire québécois. À la demande des Inuits, les parties ont suspendu les négociations pour en arriver à une entente finale qui devrait permettre la mise en œuvre de ce projet. Une assemblée élue et un gouvernement régiraient l'ensemble des résidants de ce territoire. Le gouvernement en question remplacerait les structures mises en place au moment de la signature de la convention de la baie James et du Nord québécois en 1975. Cette négociation visait à créer une forme de gouvernement autonome pour les résidants du Nunavik au sein du Québec. Il s'agirait d'un gouvernement non ethnique (même si les Inuits constituent la très grande majorité de la population) qui exercerait des pouvoirs à définir, sur tout le territoire situé nord du 55e parallèle.

Comme l'a affirmé le président du Comité constitutionnel du Nunavik devant la Commission royale d'enquête sur les peuples autochtones, il existe une grande confusion dans l'esprit de la population inuit à cause de la multitude de structures parallèles créées par la convention de la baie James, lesquelles opèrent sans coordination, chacune selon ses propres priorités. Une des fonctions du gouvernement du Nunavik consisterait justement à assurer une direction politique et une organisation pratique de l'ensemble des activités sur le territoire.

La négociation des Inuits du Québec en vue d'obtenir un gouvernement autonome ne peut manquer d'être influencée par l'accord signé par leurs voisins, les Inuits du Nunavut, dans les Territoires du Nord-Ouest, avec le gouvernement fédéral en 1992. Cet accord prévoit la division des Territoires du Nord-Ouest, suivie de la création d'un nouveau territoire, le Nunavut, où la majorité des résidants sont des Inuits, et l'instauration d'un nouveau gouvernement territorial d'ici avril 1999. Il s'agira d'un troisième territoire fédéral, qui s'ajoutera aux Territoires du Nord-Ouest et au Yukon, et du premier gouvernement au Canada qui régira un territoire fédéral dont la majorité des résidants sont des autochtones. De plus, les Inuits du Québec ont été actifs dans l'établissement de liens entre tous les Inuits de la région circumpolaire (du Canada, de l'Arctique russe et du Groenland). En ce sens, les Inuits du Québec, à l'instar des Indiens, associent de plus en plus leur action à celle des Inuits vivant ailleurs dans le monde.

Des droits protégés par la Constitution

En 1982, après l'adoption de la nouvelle loi constitutionnelle, des opinions officieuses émanant du gouvernement fédéral avaient laissé entendre que la convention de la baie James et du Nord québécois pourrait bien ne pas être protégée par la Constitution, puisqu'elle ne constituerait pas un traité. Selon ces opinions, les seuls traités protégés par la Constitution seraient les traités historiques conclus jusqu'en 1930.

Les Cris étaient donc inquiets du fait que leurs droits puissent se retrouver dans un vide juridique les laissant sans protection constitutionnelle. Les Inuits partageaient cette crainte. Ils négociaient alors activement leurs revendications dans les Territoires du Nord-Ouest et au Labrador. Or, les Inuits n'ont jamais signé de traité au sens où on l'entendait jusque-là. En effet, les traités « anciens » (conclus jusqu'en 1930) avaient toujours été signés avec les Indiens. Ils craignaient de ne pouvoir bénéficier de la protection nouvelle accordée aux droits issus de traités.

Ceux qui ont participé aux conférences constitutionnelles des années 80 se souviennent de l'intervention très active des Cris et des Inuits du Québec pour obtenir la protection constitutionnelle de leurs droits.

Dès la première conférence, en 1983, ils avaient déposé un projet de modification de la Constitution qui prévoyait explicitement que la convention de la baie James et du Nord québécois constituait un traité.

La demande des deux groupes leur fut refusée par les gouvernements. Ces derniers acceptèrent néanmoins de modifier la Constitution, en 1983, pour accorder une protection constitutionnelle aux droits qui découlent d'un accord moderne sur les revendications territoriales, au même titre que sont protégés les droits découlant des traités historiques. Autrement dit, même si les Cris et les Inuits n'ont pas obtenu une reconnaissance explicite selon laquelle la convention de la baie James et du Nord québécois est un traité protégé par la Constitution, ils ont obtenu que les droits qui leur sont reconnus dans cette entente soient protégés constitutionnellement. Il s'agit d'une modification majeure du statut des droits reconnus aux autochtones dans cette convention et d'un élément déterminant dans la remise en question de cette entente et d'autres ententes similaires.

Le texte même de la convention de la baie James accordait déjà un certain droit de veto aux autochtones, puisque certaines modifications de l'entente requéraient l'accord de toutes les parties. Ce faisant, les législateurs fédéral et québécois avaient accepté de réduire dans une certaine mesure leur marge de manœuvre. Mais la nouvelle protection constitutionnelle accordée aux droits qui en découlent donne à ceux-ci une tout autre dimension sur le plan juridique. Nous avons vu, dans l'analyse des jugements récents de la Cour suprême du Canada, que cette protection constitutionnelle met ces droits automatiquement à l'abri de toute législation gouvernementale qui n'est pas justifiable aux yeux des tribunaux.

Cette modification constitutionnelle, dont on est encore loin de mesurer toutes les conséquences, est passée à peu près inaperçue au moment de son adoption. Encore aujourd'hui, on s'y intéresse peu. Cela est d'autant plus surprenant qu'elle ne s'applique pas uniquement à la convention de la baie James et du Nord québécois. En effet, elle porte non seulement sur les ententes déjà conclues, mais également sur les ententes futures. Or, plusieurs revendications, dont les enjeux sont très importants, sont toujours en négociation au Canada et au Québec.

Cette nouvelle protection constitutionnelle représente une occasion de tester l'étendue des droits reconnus par la convention, il y a vingt ans, et de ceux qui n'avaient pas été reconnus à l'époque.

Les Cris n'ont pas oublié les nombreuses critiques dont ils ont été l'objet pour avoir « bradé » leurs droits ancestraux en échange de millions de dollars. Ils ont donc décidé de revenir devant les tribunaux pour arguer qu'en signant la convention de la baie James et du Nord québécois, en 1975, ils n'ont cédé qu'une partie de leurs droits, laissant intacts tous leurs autres droits ancestraux non compris dans l'entente. Comme nous l'avons mentionné, ils invoquent entre autres arguments celui selon lequel ils détiendraient toujours un droit inhérent à l'autonomie gouvernementale, par exemple à titre de droit ancestral protégé par la Constitution.

Ainsi, dans la dernière série de poursuites que les Cris ont intentées, depuis 1990, contre le gouvernement du Canada et le gouvernement du Québec, ils allèguent qu'ils détiennent un titre de propriété ancestral, des droits ancestraux et des droits d'utiliser le sol, le sous-sol et les eaux de leurs terres traditionnelles. Ce titre de propriété ancestral et ces droits ancestraux comprennent, selon eux, la compétence et l'autorité gouvernementales sur ces terres traditionnelles, la propriété de celles-ci de même que le droit exclusif d'utiliser et d'occuper ces terres, y compris le droit de propriété des ressources qui s'y trouvent et le droit d'y chasser, d'y pêcher et d'y trapper. Dans ce qui constitue un élément nouveau de leur argumentation depuis la modification constitutionnelle de 1983, les Cris soutiennent non seulement que ce titre de propriété ancestral et ces droits ancestraux n'auraient pas été éteints, réduits ou restreints, mais qu'ils auraient été reconnus, confirmés et renforcés par la convention de la baie James et du Nord québécois.

Ils allèguent en outre que leurs terres traditionnelles débordent les limites du territoire faisant l'objet de la convention et que leurs droits ne portent pas uniquement sur ces terres, mais aussi sur les eaux côtières. Cet argument vise à ouvrir la porte à d'autres négociations au cas où les tribunaux en viendraient à la conclusion que l'accord des Cris à la Convention en 1975 est définitif et que l'extinction de leurs droits ne peut être remise en question, vu le consentement qu'ils ont donné en toute connaissance de cause à cette époque. Les Cris invoquent d'ailleurs que la cession à laquelle ils ont consenti était limitée et conditionnelle à la mise en œuvre de la Convention, et que ce consentement ne tient plus, étant donné que des engagements gouvernementaux ne sont toujours pas respectés. Ils allèguent de plus des droits constitutionnels, issus de traités, et des droits contractuels prévus par la convention de la baie James et du Nord québécois. Les Cris ont donc choisi de tester, par le recours aux tribunaux, la nouvelle protection constitutionnelle de leurs droits. Cette démarche représente également un moyen complémentaire de pression pour obtenir des gouvernements l'application des parties de la Convention qui ne sont toujours pas réalisées. Quoique le propos de ce livre ne soit pas d'analyser la valeur de chacun des arguments soulevés par les Cris, on peut avancer qu'il serait étonnant que les tribunaux canadiens permettent aux Cris de revenir sur le consentement qu'ils ont donné en 1975, d'autant plus qu'ils n'ont pas dénoncé l'entente pendant quinze ans et en retirent des bénéfices depuis plus de vingt ans.

Un autre élément majeur favorise la remise en question d'ententes comme la Convention. Il s'agit de l'avancement de la cause autochtone sur le plan international. Soulignons que les Cris se sont joints au militantisme autochtone sur la scène internationale depuis la signature de la convention de la baie James et du Nord québécois. Même si les instruments de droit international ne s'appliquent pas automatiquement au Canada, il n'en demeure pas moins que la communauté internationale se préoccupe bien davantage des questions autochtones depuis quarante ans, et cela ne peut manquer d'avoir un effet, à moyen ou à long terme, sur la politique canadienne et québécoise.

CHAPITRE 9

Des nations distinctes au Québec

Les provinces canadiennes n'ont jamais élaboré de politique commune en ce qui concerne les autochtones. L'éventail de leurs positions va du refus de Terre-Neuve d'exercer toute compétence sur eux à la volonté fermement exprimée du Québec de soumettre à ses lois les Indiens et les Inuits de son territoire.

L'histoire a laissé à chaque province, il est vrai, un héritage différent. Comme nous l'avons vu, le Québec est une des provinces, avec la Colombie-Britannique et les Provinces maritimes, dont le territoire n'a jamais fait l'objet de traités historiques avec les Indiens. Il se trouve donc au centre de nombreuses revendications. Cette situation est à l'origine d'événements comme la signature de la convention de la baie James et du Nord québécois. On peut donc constater que tout est loin d'être réglé sur ce chapitre.

Mais ce qui fonde surtout l'originalité du Québec devant la question autochtone, c'est sa position constitutionnelle. L'affirmation nationale des Québécois s'est intensifiée depuis la Révolution tranquille et a mené à l'élection de gouvernements souverainistes, qui ont tenu deux référendums sur une éventuelle accession du Québec à la souveraineté. Un troisième référendum sur la question est prévu.

Le différend constitutionnel Québec-Canada a culminé avec le refus du Québec de signer la Loi constitutionnelle de 1982, refus qui a eu des conséquences directes sur les relations du Québec avec les autochtones. Il est important de faire remarquer que, même s'il n'a pas endossé le rapatriement de la Constitution, dans les faits, le Québec se trouve assujetti à cette Constitution, tant qu'il demeure une province canadienne. Il a refusé de participer activement au processus de conférences constitutionnelles qui devaient définir les droits des autochtones. En fait, il a pris part à la première conférence constitutionnelle, tenue en mars 1983, mais il a refusé de signer l'accord qui en avait résulté, et ce n'est qu'à titre d'observateur qu'il a participé aux trois conférences qui ont suivi.

Les autochtones, qui revendiquent également la reconnaissance de leur autonomie, sont désormais des partenaires des discussions constitutionnelles. Leur arrivée dans cette arène, en 1982, est venue modifier le rapport des forces en présence. Ils sont même souvent perçus au Québec comme des alliés objectifs ou stratégiques du gouvernement fédéral. L'échec des ententes constitutionnelles du lac Meech et de Charlottetown a cristallisé chez plusieurs Québécois le sentiment que le Canada anglais n'est pas disposé à reconnaître le Québec en tant que société particulière, et les a amenés à penser que la Constitution canadienne pourrait mieux protéger les autochtones (qui représentent moins de deux pour cent de la population canadienne et qui sont dispersés) que les Québécois (un peuple de plus de six millions de personnes habitant un vaste territoire défini), ce qui est perçu comme inacceptable. On entend parfois l'opinion selon laquelle les revendications autochtones seraient utilisées par le gouvernement fédéral et les autres gouvernements provinciaux dans leur opposition à tout changement constitutionnel demandé par le Québec. Pourquoi, en effet, accorder au Québec des pouvoirs particuliers que les Premières Nations n'ont même pas?

C'est donc dans ce climat de débats constitutionnels que les relations entre les autochtones et le gouvernement du Québec se déroulent désormais. Le Québec cherche à assujettir les autochtones à son régime juridique. Cela entre en contradiction avec les visées de ceux-ci qui, dans leurs efforts pour faire reconnaître leur droit à l'autonomie gouvernementale, cherchent justement à échapper à l'autorité des lois provinciales et même fédérales. Et c'est en dehors du processus constitutionnel canadien, dont il n'est pas le maître d'œuvre, que le Québec veut établir son autorité sur les autochtones.

Déjà en 1969, la publication du Livre blanc du gouvernement canadien, dans lequel celui-ci annonçait son intention de se départir au profit des provinces de ses responsabilités face aux autochtones, a été à l'origine de la création de la Commission de négociation des affaires indiennes par le gouvernement québécois. Son mandat consistait d'abord à mener les négociations avec l'Association des Indiens du Québec et le gouvernement fédéral sur « le transfert d'administration des Indiens du gouvernement fédéral au gouvernement provincial[1] ». La Commission devait également recommander au gouvernement une politique globale sur les affaires indiennes et les moyens de réaliser cette politique. Le gouvernement a mis fin aux travaux de la commission abruptement, au moment où l'Association des Indiens du Québec a entrepris une procédure judiciaire pour contester le projet de développement de la baie James en 1972.

Les engagements du Québec

En novembre 1982, peu avant la première conférence constitutionnelle sur les droits des autochtones, un groupe informel de porte-parole des autochtones avait demandé au gouvernement du Québec d'appuyer un texte contenant 15 principes qu'ils voulaient voir inscrire dans la Constitution canadienne.

La réponse du Québec était également formulée en 15 principes. Il y proposait aux autochtones de se situer en dehors du processus constitutionnel canadien, puisque, selon lui, ce processus, qui avait bafoué le Québec, ne pouvait faire autrement que de bafouer également les autochtones. Énoncée dans une décision du Conseil des ministres, cette réponse comporte trois éléments majeurs.

D'abord, les autochtones demandaient que la Constitution reconnaisse « que les peuples aborigènes du Québec sont des nations ayant le droit à l'autodétermination au sein de la fédération canadienne [...] et à leur identité propre, à leur culture, à leur langue, à leurs coutumes et traditions[2] ». Le gouvernement a répondu que « le Québec reconn[aissait] que les peuples aborigènes constituent des nations distinctes au sein du Québec qui ont droit à leurs coutumes et traditions ainsi que le droit d'orienter elles-mêmes le développement de cette identité propre[3] ».

On voit que le Québec a adopté le discours des autochtones en

---

1. Québec, Arrêté en conseil n° 1718, 15 avril 1970.

2. Lettre des peuples autochtones du Québec au premier ministre du Québec, René Lévesque, 30 novembre 1982 (inédite).

3. « Les fondements de la politique du gouvernement du Québec en matière autochtone », Québec, 1988, p. 3.

reprenant les termes qu'ils utilisent : « peuples aborigènes » et « nations ». Mais l'autodétermination dans la fédération canadienne préconisée par les autochtones était restreinte au statut de nations distinctes au sein du Québec.

Ensuite, les autochtones demandaient que la Constitution leur reconnaisse « le droit à des terres leur appartenant en propre et sous leur juridiction exclusive », ce qui renvoyait à leur revendication pour l'établissement d'un troisième ordre de gouvernement au Canada. Selon eux, cet ordre de gouvernement autochtone devait pouvoir exercer ses compétences de façon autonome et être à l'abri des lois provinciales. De plus, les terres sur lesquelles un gouvernement autochtone aurait l'autorité seraient soustraites de la propriété des provinces. Dans sa réponse, le Québec a reconnu aux nations autochtones, « dans le cadre des lois du Québec, le droit de posséder et de contrôler elles-mêmes les terres qui leur sont attribuées. Ces droits doivent s'exercer au sein de la société québécoise et ne sauraient, par conséquent, impliquer des droits de souveraineté qui puissent porter atteinte à l'intégrité territoriale du Québec. »

Même si sa portée est plus limitée, cette reconnaissance par le Québec est plus explicite que ce que prévoit la Constitution canadienne, qui reconnaît des droits ancestraux ou issus de traités, sans plus de précisions. Par contre, elle assujettit les autochtones à l'autorité du gouvernement québécois. La réponse du Québec a donc été perçue par les autochtones comme une contrainte supplémentaire, puisqu'ils seraient alors totalement assujettis à l'autorité provinciale en plus de l'être à l'autorité fédérale.

Enfin, le Québec considérait que la protection des droits existants énoncée dans la Constitution s'étendait aux droits inscrits dans les ententes conclues dans le contexte de revendications territoriales, comme la convention de la baie James et du Nord québécois.

Par contre, alors que les autochtones demandaient, de plus, que les droits reconnus par la Proclamation royale de 1763 soient protégés constitutionnellement, le Québec s'est dit prêt à considérer qu'ils soient explicitement reconnus dans ses lois. Ici encore, le Québec a restreint la portée de sa reconnaissance aux lois qui relèvent de ses domaines de compétence, alors que, si ces lois étaient reconnues par la Constitution canadienne, le Québec ne pourrait plus y déroger puisqu'ils seraient, au moins dans une certaine mesure, à l'abri des lois québécoises. Il est intéressant de noter que toutes ces questions font toujours, quinze ans plus tard, l'objet des discussions constitutionnelles au Canada.

Cette décision du conseil des ministres a constitué les premiers éléments d'une politique gouvernementale et la première prise de position officielle du gouvernement du Québec sur le sujet. On peut en retenir trois grands principes. Premièrement, le gouvernement du Québec se dit prêt à reconnaître des droits aux autochtones dans le contexte d'une démarche « proprement québécoise », et non pas dans la Constitution canadienne comme le voulaient les autochtones. Deuxièmement, le gouvernement du Québec estime que la reconnaissance formelle des droits des autochtones doit se faire dans le cadre des lois du Québec. Troisièmement, les engagements du Québec ne tiennent pas compte des résultats des conférences constitutionnelles, puisque le Québec ne reconnaît pas la validité de la Constitution de 1982.

Il faut souligner que la reconnaissance de droits dans les lois québécoises peut être modifiée plus aisément qu'une reconnaissance de ces droits, même limités, dans la Constitution canadienne. Ainsi, la proposition québécoise accorde moins de garanties que ce que les autochtones pouvaient escompter d'une reconnaissance constitutionnelle de leurs droits.

La résolution de l'Assemblée nationale

Dans sa volonté de se situer en dehors du processus constitutionnel canadien, le gouvernement québécois a fait l'objet de critiques, tant de la part des autochtones que de la part de certains premiers ministres de provinces. Sa décision d'assister en observateur aux conférences constitutionnelles visant à préciser les droits des autochtones a été perçue comme un obstacle presque insurmontable à l'adoption d'un amendement constitutionnel qui leur soit favorable. Compte tenu de la règle imposée par la formule d'amendement de la Constitution, son appui était nécessaire dans le contexte de l'époque.

En novembre 1983, une commission de l'Assemblée nationale a invité des organismes autochtones à lui faire part de leurs besoins et de leurs aspirations. À cette occasion, le premier ministre Lévesque s'est adressé aux autochtones en ces termes :

> Le fait que nos populations autochtones habitent le territoire depuis des temps fort lointains et qu'elles étaient ici chez elles bien avant

chacun d'entre nous leur confère un statut et des droits particuliers
que nous nous devons d'inscrire — si on s'entend là-dessus — dans
les lois fondamentales qui régissent la société québécoise [...] cela
m'amène à observer que le temps semble révolu où on pouvait croire
suffisant d'établir, sous l'impulsion de la générosité ou parfois même
d'un certain accès de mauvaise conscience historique, des programmes qui puissent répondre tant bien que mal à leurs besoins. Ce
sont des droits qu'il s'agit dorénavant de reconnaître et sur lesquels il
faut s'entendre[1].

La décision du conseil des ministres de 1983 fut suivie, deux ans
plus tard, d'un autre texte sur le même sujet, adopté cette fois par l'Assemblée nationale du Québec.

Le premier ministre Lévesque a présenté, à la troisième conférence,
en avril 1985, le texte de la résolution de l'Assemblée nationale du
Québec comme une preuve de la bonne foi de son gouvernement et de
sa volonté de reconnaître des droits aux autochtones du Québec.
Intitulé « Motion portant sur la reconnaissance des droits des autochtones », ce texte reconnaît l'existence au Québec des nations abénaquise,
algonquine, attikamek, crie, huronne, micmac, mohawk, montagnaise,
naskapie et inuit (on y ajouta ensuite la nation malécite). De plus, cette
motion « pressait » le gouvernement de conclure avec les nations autochtones des ententes qui devront définir notamment leur droit à
l'autonomie au sein du Québec, leur droit de chasser, de pêcher et de
participer à la gestion des ressources fauniques, et leur droit de participer au développement économique, « de façon à leur permettre de se
développer en tant que nations distinctes, ayant leur identité propre et
exerçant leurs droits à l'intérieur du Québec[2] ».

La motion établit clairement que les droits qui seront inscrits dans
les ententes éventuelles devront s'exercer au sein du Québec. Elle repre-
nait en ce sens les termes de la décision du conseil des ministres de 1983,
dont elle découlait logiquement.

---

1. Québec, Assemblée nationale, Commission permanente de la présidence du Conseil
et de la Constitution, Journal des Débats : Commissions, 4e session, 32e législature, no 166,
p. 9211-9212 (22 novembre 1983).

2. « Les fondements de la politique du gouvernement du Québec en matière autochtone », Québec, 1988, p. 6.

Selon le gouvernement du Québec, cette motion générale permet toute forme de négociation que peuvent souhaiter les autochtones. Le Québec justifie cette position en disant vouloir éviter de se faire reprocher de sortir du champ de ses compétences constitutionnelles actuelles. Il n'en demeure pas moins que cette limite a été mal reçue par les autochtones, qui y ont vu une nouvelle expression de la volonté du Québec d'accroître ses champs de compétence tout en donnant une bonne image du traitement qu'il réserve aux autochtones.

Immédiatement après cette conférence constitutionnelle, le gouvernement du Québec a de nouveau convoqué les représentants des autochtones, cette fois pour leur faire part du projet d'accord constitutionnel qu'il entendait présenter au Canada. Ce projet comportait une exigence préalable — la reconnaissance, dans la Constitution, du peuple québécois — et entendait redéfinir les pouvoirs du Québec au sein du Canada. Il faisait une seule mention des autochtones, dans le chapitre portant sur les droits et les libertés. Réclamant pour le Québec la responsabilité complète en matière linguistique, le projet précisait que le peuple québécois n'est pas composé que de francophones ; la communauté de langue anglaise, les communautés culturelles et les nations autochtones ont aussi des droits individuels et le « droit plus général de bénéficier de l'ensemble des ressources que la société met à leur disposition ».

Les autochtones ont réagi en demandant au gouvernement du Québec de reconnaître officiellement que ses revendications constitutionnelles n'affectaient pas leurs propres revendications. Ils ont souligné que le droit de veto réclamé par le Québec allait empêcher l'adoption des modifications constitutionnelles nécessaires pour établir de véritables gouvernements autochtones. Ils ont enfin déploré le fait que le gouvernement les considère comme des groupes minoritaires au même titre que la minorité anglophone et les minorités allophones.

Le conseil des ministres du Québec a réitéré sa position constitutionnelle, en 1986, à savoir qu'il appuierait une modification constitutionnelle reconnaissant le droit des autochtones à l'autonomie gouvernementale, la portée de cette autonomie devant être définie dans des ententes négociées par le gouvernement et les autochtones. Cet appui à une éventuelle modification constitutionnelle ne pourrait toutefois pas se concrétiser tant que le dossier constitutionnel du Québec ne serait réglé à sa satisfaction.

Ce projet d'un nouvel accord constitutionnel a abouti à l'adoption de l'accord du lac Meech, en 1987, qui a fait long feu. On constate que l'opinion publique au Québec a retenu uniquement le refus du député autochtone manitobain Elijah Harper comme cause immédiate de l'échec de la ratification de cet accord. L'opposition du député Harper est devenue le symbole de cet échec, tandis qu'on a occulté la responsabilité de l'Assemblée législative de Terre-Neuve, qui en est l'autre cause immédiate.

L'accord de Charlottetown, conclu en 1992, représente une autre étape dans cette évolution. On y prévoyait la reconnaissance du droit inhérent à l'autonomie gouvernementale pour les autochtones du Canada. L'appui inattendu accordé par le premier ministre du Québec, Robert Bourassa, à cet accord en a alors surpris plusieurs, et ce non seulement au Québec, car l'acceptation de la constitutionnalisation du droit inhérent des autochtones contredisait le discours politique tenu par la province depuis plusieurs années.

Même si l'accord de Charlottetown a été rejeté par la population canadienne et n'a donc pu entrer en vigueur, c'est dans ce contexte constitutionnel que le Québec doit désormais traiter avec les autochtones. Si ces deux projets d'accords constitutionnels ont échoué, la reconnaissance des droits des autochtones qu'on y a inscrite ne peut que faire augmenter leurs attentes. Il est évident, en effet, que toute nouvelle proposition d'entente qui se situerait en deçà de ces énoncés risquerait fort d'être rejetée.

Les autochtones et le projet souverainiste

La réélection du Parti québécois en 1994 et la tenue, à l'automne de 1995, d'un référendum sur la souveraineté ont ravivé les tensions entre les autochtones du Québec et le gouvernement. Tous les groupes autochtones se sont prononcés contre le projet souverainiste. Le chef de l'Assemblée des Premières Nations du Canada a demandé l'intervention du gouvernement fédéral en cas de déclaration de la souveraineté par le Québec afin de protéger leurs droits ancestraux et leurs droits issus de traités. Les Indiens du Québec ont boycotté le processus gouvernemental de consultation populaire qui a précédé le vote. Les Premières Nations qui ont procédé à leur propre référendum sur la question ont voté, comme il fallait s'y attendre, massivement contre le projet souverainiste.

De même, les Inuits du Québec ont dénoncé le projet souverainiste et demandé à Ottawa d'exercer sa responsabilité de fiduciaire à leur égard, en défendant leurs droits. Ils considéraient que ce projet était antidémocratique. Cette réaction ferme des Inuits du Québec contraste avec l'attitude qu'ils avaient adoptée durant les négociations constitutionnelles et la négociation pour l'établissement d'un gouvernement autonome au Nunavik. Les autochtones opposaient au droit à l'autodétermination du Québec leur propre droit à l'autodétermination. Selon eux, ce droit leur permettait de demeurer au sein du Canada en cas de déclaration de souveraineté du Québec. C'est pourquoi ils exigeaient que le gouvernement fédéral intervienne de façon active pour que le territoire d'un éventuel Québec souverain soit fractionné, de manière à soustraire de son territoire les régions où se trouvent des autochtones[1].

On peut attribuer une part de la réaction négative des autochtones à une stratégie visant à faire monter les enchères dans leurs propres négociations. Mais cette réaction négative ne peut être dissociée du fait que la reconnaissance des droits des autochtones qui était inscrite dans ce projet était bien en deçà de leurs attentes. Les engagements contenus dans le projet souverainiste étaient en effet moindres que ce que la situation constitutionnelle actuelle garantit aux autochtones.

Ainsi, voir dans la position des autochtones face au gouvernement fédéral une préférence de leur part exprime une vision étriquée de la réalité. On sait que les autochtones sont assujettis à l'autorité fédérale. Cette relation de dépendance a amené les tribunaux, depuis 1984, à exiger que le gouvernement fédéral rende compte de l'exercice de son autorité. Les autochtones ont ainsi des garanties selon lesquelles le fédéral a certaines obligations envers eux, à cause de son autorité constitutionnelle à leur égard. On peut imaginer qu'ils tiennent à ces garanties constitutionnelles qui créent des obligations en leur faveur, alors que les provinces n'ont pas de telles obligations à leur égard. Même si les autochtones le critiquent allègrement, le régime actuel leur procure certains bénéfices assurés. Comme ils n'ont aucun contrôle sur le processus

---

1. Cette question est plus amplement discutée dans Renée Dupuis, *L'Avenir du Québec et les Peuples autochtones*, 1995, et dans Renée Dupuis et Kent McNeil, *L'Obligation de fiduciaire du Canada envers les peuples autochtones dans le contexte de l'accession du Québec à la souveraineté*, 1995.

de révision constitutionnelle, ils sont réticents à accepter tout changement éventuel qui ne leur assurera pas les mêmes bénéfices que ceux
dont ils jouissent aujourd'hui. De plus, s'ils devaient être soumis aux
autorités provinciales, chaque province serait libre d'exercer son autorité selon ses priorités. Les provinces n'auraient pas l'obligation d'adopter des régimes similaires. On assisterait fort probablement à la mise en
place de systèmes administratifs et gouvernementaux différents, sinon
carrément disparates. La crainte d'une telle disparité et la difficulté
d'évaluer l'équivalence de ces régimes différents dérange plusieurs autochtones. Contrairement à ce qu'on entend parfois, leur attitude ne
procède donc pas tant d'un attachement « sentimental » au gouvernement fédéral que d'une volonté de ne pas perdre des acquis. En faire une
question de préférence et d'attachement pour un gouvernement plutôt
que pour un autre constitue une vision simplificatrice de cette dynamique.

Quoi qu'il en soit, les campagnes menées par divers groupes, dont
les Cris, les Mohawks et les Inuits, particulièrement contre le gouvernement du Québec à l'occasion du dernier référendum, tant au Canada
qu'à l'étranger, ont été très mal reçues par les gouvernements. Il n'est
pas impossible que ces campagnes se soient révélées en partie contre-
productives. En effet, tant le gouvernement canadien que le gouvernement québécois ont été éclaboussés par ces campagnes ; le premier parce
qu'il était accusé de ne pas défendre les intérêts des autochtones et le
second parce qu'il était accusé de compromettre ces intérêts.

L'intention déclarée du gouvernement souverainiste de tenir un
troisième référendum maintient une pression très palpable au Québec.
Pour s'en rendre compte, il suffit de considérer les interventions que les
autochtones continuent de faire sur la scène internationale, où ils com-
battent avec véhémence le projet souverainiste. Dans cette optique,
l'évolution de cette question dans les forums internationaux et l'avancement de la cause autochtone sur le plan international ne peuvent laisser le Québec indifférent.

CHAPITRE 10

La scène internationale

Selon la conception actuelle du droit international, les États constitués par les puissances européennes hors de leurs frontières ont imposé, de droit ou de fait, leur propre souveraineté aux peuples autochtones dans les territoires que ces derniers occupaient. Ainsi, ces nouvelles souverainetés européennes — devenues américaines, australiennes, canadiennes ou néo-zélandaises par la suite — ont éclipsé les souverainetés autochtones, faisant des peuples autochtones des sujets des nouveaux États. Ces peuples ont ainsi perdu leur droit de conserver une forme de gouvernement autochtone, indépendant du gouvernement du nouvel État.

Cette conception a toujours cours aux États-Unis, en Australie, au Canada et en Nouvelle-Zélande, pour ne citer que ces pays-là. Selon ces États, les questions concernant les autochtones sont des questions politiques strictement intérieures, comme les autochtones sont des sujets de droit interne uniquement.

Suivant cette logique, les peuples autochtones ne peuvent pas être des sujets du droit international, qui définit actuellement le droit complet à l'autodétermination. On sait que le processus de décolonisation supervisé par les Nations unies, fondé sur la reconnaissance du droit à l'autodétermination et à l'accession à l'indépendance, s'est appliqué jusqu'ici uniquement aux peuples qui occupaient des territoires outremer ou non contigus à celui de l'État colonisateur. Devenus minoritaires au sein des États à la suite de la colonisation, les peuples autochtones n'ont pas accès à ce droit complet à l'autodétermination, c'est-à-dire non seulement au droit de se gouverner, mais également au droit de constituer un État distinct de celui où ils vivent.

Il s'agit de l'opinion majoritaire sur la scène internationale à ce jour. Cette opinion est illustrée par le rapport des juristes internationaux

(rédigé par le professeur Pellet) déposé en 1992, en réponse à la demande de la Commission de l'Assemblée nationale portant sur le processus de détermination de l'avenir politique et constitutionnel du Québec. Le rapport Pellet conclut en effet que les peuples autochtones du
Canada n'ont pas de droit à l'autodétermination qui comprend le droit
de sécession, et ce, ni en vertu du droit interne canadien ou québécois,
ni en vertu du droit international.

Mais l'héritage laissé par les colonisateurs européens est aujourd'hui
remis en question. Depuis le début du XXe siècle, mais davantage encore
depuis une trentaine d'années, les pays où vivent des peuples autochtones
ont connu un mouvement de contestation vive et de plus en plus pressante de la part de leurs « sujets » autochtones. Ces derniers réclament le
statut de peuples colonisés et la reconnaissance de droits collectifs, dont
celui d'accéder, s'ils le désirent, à une souveraineté indépendante de celle
des États dans lesquels ils vivent. D'abord considérées comme des questions de politique intérieure de chaque État, les revendications de plus en
plus soutenues des autochtones sont en passe de s'imposer peu à peu sur
la scène internationale, au moins comme objet de réflexion.

C'est ainsi que les autochtones ont multiplié leurs interventions
auprès des divers organismes internationaux depuis vingt ans. Par
exemple, dans le document qu'ils ont déposé, en 1992, devant la Commission des droits de l'homme de l'O.N.U., les Cris du Québec déclarent
qu'ils continuent d'être soumis au colonialisme au Canada, ce qui renforce selon eux leur droit à l'autodétermination et à la sécession. Désormais, les questions autochtones propres à un pays trouvent automatiquement un écho dans le monde. Des organismes d'appui aux autochtones,
qui ont émergé dans divers pays européens depuis une vingtaine d'années, prennent le relais du discours autochtone. L'action de ces organismes internationaux non gouvernementaux a attiré l'attention internationale sur la situation des autochtones dans diverses parties du globe.
Cette action a été déterminante dans l'évolution de la réflexion des instances internationales. La 4e session du Tribunal Russell qui a siégé en
Hollande en 1980 en est un exemple.

Le Tribunal Russell

À l'initiative d'un organisme non gouvernemental néerlandais, le
Workgroup Indian Project, s'est tenue à Rotterdam, en novembre 1980,

la quatrième session du Tribunal Russell. Le Tribunal Russel a été fondé à l'origine par le philosophe britannique Bertrand Russel et l'écrivain français Jean-Paul Sartre, pour enquêter sur les crimes de guerre au Vietnam. Bien que le Tribunal Russel ne dispose pas d'une autorité juridique, chacune de ses 4 sessions a eu beaucoup de retentissement sur le plan international. La 4e session avait pour thème les violations des droits des Indiens des Amériques. Les autochtones avaient été invités à soumettre des causes où, selon eux, leurs droits avaient été violés. Des 45 causes qui lui furent soumises, le Tribunal décida d'en entendre 14, avec témoignages et plaidoiries. Une cause était soumise au nom des Indiens Attikameks et Montagnais du Québec par le Conseil qui les représentait à cette époque.

Nous avons vu au chapitre 8 qu'une loi fédérale avait éteint les droits ancestraux de tous les autochtones du Québec sur le territoire compris dans la convention de la baie James et du Nord québécois, qu'ils en soient ou non signataires. Les Attikameks et les Montagnais n'ont pas signé cette entente. Ils n'ont jamais renoncé à leurs droits ancestraux sur cette partie du territoire québécois et n'ont obtenu aucune compensation pour l'extinction unilatérale de ces droits.

Le Tribunal a entendu les témoignages d'autorités politiques et de chasseurs attikameks et montagnais, de même que la plaidoirie que j'y ai présentée à titre de procureur des Indiens. Dans les conclusions qu'il a formulées, le jury international du Tribunal Russell a estimé que la loi canadienne qui a éteint les droits des Indiens attikameks et montagnais qui n'étaient pas partie à la convention de la baie James et du Nord québécois équivalait à une violation de leur droit de posséder leurs terres et de ne pas en être dépossédés, de même qu'à une violation de leur droit de contrôler leurs ressources et leur développement économique, des droits fondamentaux qui sont consacrés dans des textes de droit international. Ces textes de droit international ne s'appliquent pas automatiquement ni directement devant les tribunaux en droit canadien. Il s'agit quand même là d'une confirmation publique, par un organisme international, du lien qui existe entre les droits invoqués par les autochtones du Canada et les droits fondamentaux reconnus en droit international.

Le Tribunal Russell a ensuite acheminé ses conclusions dans les 14 causes qu'il a entendues, à la Commission des droits de l'homme de l'O.N.U. Dans l'introduction de son rapport final, les membres du

Tribunal ont fait remarquer la vitalité et la capacité de résistance des peuples autochtones des Amériques, qui ont été soumis à ce qu'ils décrivent comme un programme de destruction culturelle et d'oppression sociale.

Les autochtones à l'Organisation des Nations unies

L'intervention du Tribunal Russell n'est qu'un exemple des actions qui ont suscité l'évolution de l'attitude des organismes internationaux au regard des questions autochtones.

La Commission des droits de l'homme de l'O.N.U. a d'ailleurs pris une initiative sans précédent en créant, en 1982, un Groupe de travail des populations autochtones. Présidé par une juriste grecque, Erika-Irène Daes, ce groupe est composé de cinq experts nommés par les représentants des États siégeant à la Commission des droits de l'homme. Au départ, il a reçu comme mandat de formuler des recommandations pour la reconnaissance et la protection des droits des autochtones.

Sous l'impulsion de sa présidente, le groupe de travail a créé un précédent en permettant à des autochtones de se faire entendre pendant ses travaux. Il constitue encore aujourd'hui le seul forum auquel les autochtones aient un accès direct au sein de l'O.N.U. Des autochtones de toutes les régions du monde ont ainsi fait état de leurs revendications devant le groupe de travail depuis sa création.

De 1985 à 1993, le groupe de travail a veillé à l'élaboration d'un projet de Déclaration des droits des peuples autochtones. La tâche s'est révélée ardue parce que le groupe s'est rapidement trouvé devant deux visions opposées. D'une part, les autochtones réclamaient que leur droit complet à l'autodétermination soit reconnu. D'autre part, les États exigeaient que la déclaration exprime clairement le fait que les autochtones n'avaient pas un droit complet à l'autodétermination, mais plutôt un droit à l'autodétermination interne, c'est-à-dire un droit à une forme d'autonomie gouvernementale assujettie aux États où ils vivent. Les positions sont restées tranchées de part et d'autre. Devant l'obligation de terminer la rédaction du projet de déclaration avant la fin de l'Année internationale des autochtones, décrétée en 1993 par l'Assemblée générale de l'O.N.U., le groupe de travail a finalement choisi un libellé qui semble avoir retenu la position soutenue par les autochtones.

Le titre même du texte est révélateur de l'évolution des mentalités en ce qui touche aux autochtones au sein des organismes internationaux. Nommé Groupe de travail des *populations* autochtones, ce groupe a abouti à la rédaction d'un projet de Déclaration des droits des *peuples* autochtones. L'emploi des termes « populations » et « peuples » ne relève pas du hasard. Il traduit le changement en cours dans la conception de la situation des autochtones, tant sur la scène internationale que dans plusieurs pays.

Le texte du projet de déclaration couvre divers sujets, qui vont de la reconnaissance du droit collectif des autochtones d'exister librement dans la paix et la sécurité en tant que peuples distincts au droit de maintenir leurs propres systèmes juridiques, en passant par un droit de veto sur tout développement de leurs terres et des ressources qui s'y trouvent.

Le préambule indique que les peuples autochtones ont le droit de déterminer librement leurs rapports avec les États, dans un esprit de coexistence, d'intérêt mutuel et de plein respect. Ainsi, le texte reconnaît aux autochtones le droit de disposer d'eux-mêmes et d'assurer librement leur développement économique, social et culturel. On y précise que, dans l'exercice de leur droit de disposer d'eux-mêmes sous une forme qui leur est propre, les peuples autochtones ont le droit de s'administrer eux-mêmes en ce qui concerne les questions relevant de leurs affaires intérieures et locales, notamment la culture, l'éducation, la santé, le logement, l'emploi, l'administration des terres et des ressources, l'environnement et l'accès des non-membres à leur territoire, y compris les moyens de financer ces activités. Notons que cette nomenclature de pouvoirs qu'on propose ici de reconnaître aux peuples autochtones correspond, à peu de chose près, à la liste des pouvoirs attribués aux provinces par la Constitution canadienne. De ce seul point de vue, il y a donc une incompatibilité fondamentale entre ce que le groupe de travail de l'O.N.U. propose de reconnaître aux autochtones et le régime juridique canadien, sans parler de la politique québécoise face aux autochtones.

Un autre élément de ce projet qui entre en conflit avec le régime juridique canadien concerne les terres. La sixième partie de ce projet de déclaration propose de reconnaître le droit des peuples autochtones de posséder, de mettre en valeur et de gérer leurs terres traditionnelles et les ressources qui s'y trouvent. À l'heure actuelle, la Constitution canadienne ne reconnaît pas, sauf exception, un droit de propriété aux autochtones, ni sur les terres qu'ils ont occupées ou utilisées traditionnellement, ni sur les terres qu'ils occupent aujourd'hui.

Il sera intéressant de voir l'évolution de l'attitude des gouvernements du Canada et du Québec, au cours des discussions entourant ce texte au sein des instances de l'O.N.U. Le Canada n'a pas intérêt à ce qu'une déclaration universelle reconnaisse aux peuples autochtones un droit complet à l'autodétermination, qui comprendrait alors le droit de sécession. C'est l'intégrité territoriale du Canada qui serait en cause.

Il ne faut pas croire qu'il s'agisse là d'une question purement théorique, compte tenu de toutes les revendications territoriales contemporaines non réglées au Canada. Même si la dispersion des populations autochtones représente un obstacle réel à une éventuelle sécession, il n'en demeure pas moins que les autochtones forment la grande majorité de la population dans certaines régions, du moins dans le nord du Canada et du Québec.

Le territoire du Nunavut (Territoires du Nord-Ouest) offre un bon exemple de ce qui pourrait, théoriquement, devenir un État autochtone, si jamais le droit complet à l'autodétermination était reconnu aux peuples autochtones en droit international. Or, ce territoire jouxte le nord du Québec, où les Inuits constituent également la grande majorité de la population vivant au nord du 55e parallèle. Les Inuits du Québec se sont d'ailleurs vu reconnaître des droits d'exploitation des ressources fauniques dans l'accord du Nunavut. Ils sont, de plus, en négociation avec le gouvernement fédéral au sujet de leur revendication sur les zones marines au nord-ouest du Québec. De plus, l'établissement d'un gouvernement dans le nord du Québec, qui fait actuellement l'objet de négociations entre les Inuits et le Québec, pourrait également servir de fondement à l'exercice de leur droit à l'autodétermination. En réalité, ces discussions, qui peuvent paraître très abstraites parce qu'elles se déroulent dans des forums internationaux sont susceptibles d'avoir des répercussions très concrètes dans beaucoup de régions du monde, dont le Canada et le Québec. Toutes ces questions sont débattues dans d'autres instances internationales, comme l'Organisation internationale du travail.

La convention n° 169 de l'Organisation internationale du travail

L'Organisation internationale du travail (O.I.T.), est un organisme spécialisé qui élabore des normes internationales pour l'amélioration des conditions de travail et l'élimination des injustices sociales dans les pays du monde. En 1957, elle avait adopté la Convention relative aux populations aborigènes et tribales (convention n° 107). En 1989, après de longues discussions, elle en adoptait une forme révisée, soit la Convention relative aux peuples indigènes et tribaux (convention n° 169). Les conventions adoptées par l'O.I.T. ne lient que les États qui les ratifient. La Convention n° 129 est entrée en vigueur en septembre 1991, mais elle a été ratifiée par très peu de pays à ce jour.

En 1957, les États s'engageaient à assumer la responsabilité de la protection et de l'intégration progressive des populations autochtones vivant sur leur territoire, et ce, sans avoir recours à la coercition pour y parvenir. Il allait de soi, à cette époque, que les autochtones devaient, tôt ou tard, s'intégrer au reste de la société de la manière choisie par l'État.

Le passage de l'appellation « populations » à celle de « peuples » est le résultat de discussions souvent âpres qui ont prévalu au sein de l'O.I.T. entre 1957 et 1989. Ces discussions ont opposé, d'une part, les représentants gouvernementaux et patronaux et, d'autre part, les représentants autochtones qui, grâce aux représentants des travailleurs, avaient obtenu un droit de parole. En effet, diverses organisations autochtones voulaient que la révision de la convention n° 107 soit l'occasion d'affirmer leur droit absolu à l'autodétermination au sens du droit international (y compris un droit de sécession), ce à quoi s'opposaient plusieurs États, dont le Canada. Selon ceux-ci, l'O.I.T., en acceptant de discuter ces questions, excédait les limites de sa compétence. En fait, les autochtones reprenaient auprès de l'O.I.T. les représentations qu'ils faisaient, à la même époque, devant le Groupe de travail des populations autochtones. Encore une fois, le changement d'appellation est le reflet de l'évolution intervenue au sein de cette organisation. Comme le précise le préambule de la convention de 1989, l'évolution du droit international et de la situation des peuples indigènes et tribaux dans toutes les régions du monde justifie l'adoption de nouvelles normes internationales sur la question. Ces normes doivent effacer l'orientation des normes antérieures, qui visaient l'assimilation.

Deux éléments de cette convention vont retenir notre attention parce qu'ils sont au cœur des discussions avec les autochtones depuis vingt ans au Canada : la définition de l'expression « peuples autochtones » et les terres. Nous verrons que les discussions qui ont mené à l'adoption de cette convention et le texte lui-même reflètent, sur le plan international, des discussions similaires qui ont eu lieu dans plusieurs États du monde, y compris le Canada. La convention prend d'ailleurs acte, dans son préambule, de l'aspiration des peuples autochtones à maîtriser leurs institutions, leur mode de vie et leur développement économique propres, tout comme elle prend acte de leur volonté de conserver et de développer leur identité, leur langue et leur religion dans le cadre des États où ils vivent. En fait, cette partie du préambule rejoint l'orientation souhaitée par nombre d'États, dont le Canada, qui exigent que toute forme d'autonomie gouvernementale autochtone soit encadrée par l'État, plutôt que distincte de celui-ci. Cette position est à l'opposé de celle que préconisent les autochtones et va moins loin dans le sens de l'autonomie que le projet de Déclaration des droits des autochtones.

La convention n° 169 prend également acte du fait que, dans plusieurs pays, ces peuples n'ont pas les mêmes droits fondamentaux que le reste de la population, et que leurs lois, leurs valeurs et leurs coutumes propres ont souvent subi une érosion à la suite de l'application du droit interne des États.

En somme, en adoptant la convention n° 169, l'O.I.T. est passée d'une position qui visait l'intégration et l'égalité des droits pour les autochtones à une autre qui préconise désormais le maintien et le développement des peuples autochtones en tant que collectivités distinctes au sein des États où ils se trouvent.

La convention n° 169 porte sur des sujets qui relèvent tant de la compétence fédérale que de la compétence provinciale au Canada. Elle traite de domaines aussi divers que le droit de propriété sur les terres et les ressources naturelles, l'environnement, l'éducation, la sécurité sociale et la santé, la formation professionnelle et l'emploi. En fait les domaines prévus par cette convention sont à peu près les mêmes que ceux dont traite le projet de déclaration dont nous venons de parler. Elle est axée sur la reconnaissance de droits collectifs particuliers, la participation, la coopération et la consultation des autochtones de même que la sauvegarde, le maintien, le respect et le développement de leurs institutions, traditions et coutumes propres, comme l'illustrent les quelques exemples qui suivent.

Ainsi, la convention précise que les gouvernements devront prendre des mesures en coopération avec les autochtones pour protéger et préserver l'environnement dans les territoires qu'ils habitent. Elle impose aussi l'obligation de tenir compte des coutumes et du droit coutumier des autochtones dans l'application de la loi à leur égard. Des droits de propriété et de possession sur les terres qu'ils occupaient traditionnellement doivent être reconnus aux peuples intéressés. La convention prévoit l'établissement, avec la participation des autochtones, de programmes spéciaux de formation professionnelle quand les programmes généraux ne répondent pas à leurs besoins. Les gouvernements doivent reconnaître le droit de ces peuples de créer leurs institutions et leurs moyens d'éducation, et leur accorder des ressources appropriées, à condition que ces institutions répondent aux normes établies par l'État, en consultation avec les autochtones. Presque toutes ces nouvelles normes internationales entrent en conflit avec les lois du Canada.

Des peuples tribaux et des peuples indigènes

Les appellations « peuples tribaux » et « peuples indigènes » utilisées dans le texte de la convention n° 169 et la définition qu'on en donne ont une portée beaucoup plus large que celle de l'expression « peuples autochtones » qu'emploie le Canada.

Dans ce texte, sont considérés comme peuples *tribaux* les peuples qui répondent aux deux critères suivants. Premièrement, ces peuples se distinguent, par leurs conditions sociales, culturelles et économiques, des autres secteurs de la communauté nationale vivant dans ce pays. Ils doivent donc avoir maintenu une certaine forme d'existence collective distincte du reste de la société nationale. Deuxièmement, ces peuples sont régis (en tout ou en partie) par leurs coutumes ou traditions propres ou par une législation particulière. Ainsi, les Indiens, qui sont régis par la Loi fédérale sur les Indiens, répondent à cette deuxième caractéristique.

Sont considérés comme peuples *indigènes* les peuples qui répondent aux deux critères suivants. Premièrement, ce sont les descendants des peuples autochtones qui occupaient le territoire à l'époque de la Conquête, de la colonisation ou de l'établissement des frontières actuelles de l'État. Deuxièmement, ces descendants conservent leurs institutions sociales, économiques, culturelles et politiques propres (ou certaines d'entre elles), et ce, quel que soit leur statut juridique. Un peuple indigène ne doit pas nécessairement avoir conservé tout l'éventail de ses institutions propres ; il suffit qu'il ait maintenu quelques-unes de ces institutions pour répondre à ce dernier critère. Ainsi, des Métis qui ont gardé une certaine forme d'existence collective dans les Prairies répondraient à ces caractéristiques, et ce, même s'ils n'ont pas un statut juridique particulier comme les Indiens.

La portée de ces deux définitions est encore étendue par la précision qui y est ajoutée, selon laquelle le sentiment d'appartenance tribale ou indigène doit être considéré comme un critère fondamental pour déterminer les groupes auxquels doit s'appliquer la convention. Ainsi, aux facteurs objectifs on ajoute un facteur subjectif : le fait qu'un groupe se qualifie lui-même de peuple tribal ou indigène. On introduit ici l'auto-identification comme critère de définition de ces peuples.

Il s'agit là d'un élément qui va à l'encontre des normes juridiques en vigueur au Canada. Il y fait d'ailleurs l'objet de vives discussions entre les représentants des autochtones et les gouvernements. En effet, la Constitution canadienne ne parle pas de peuples « tribaux » ou « indigènes », mais plutôt de peuples « autochtones », et ne laisse pas de place à des facteurs subjectifs dans la définition de ce concept. La Loi constitutionnelle de 1982 indique que l'expression « peuples autochtones » comprend notamment les Indiens, les Inuits et les Métis du Canada, sans autre précision.

Or, la situation juridique de ces trois peuples autochtones est très différente. Nous avons vu que les Indiens et les terres qui leur sont réservées sont assujettis à la compétence fédérale en vertu de la Loi constitutionnelle de 1867. C'est en vertu de cette compétence que le législateur fédéral a déterminé les critères d'admissibilité au statut d'Indien au Canada. Énoncés dans la Loi sur les Indiens, ces critères sont établis en fonction de la filiation et ne tiennent pas compte du sentiment d'appartenance.

Il est vrai que, depuis 1985, la loi fédérale permet aux bandes indiennes d'adopter un code d'appartenance afin de déterminer leurs effectifs. Le législateur fédéral a ainsi introduit une certaine confusion en créant deux paliers. Le palier de base est déterminant : c'est celui qui définit, dans la loi, les critères d'admissibilité au statut d'Indien en fonction de la filiation. Le deuxième palier est facultatif, en ce sens que les règles visant à déterminer qui est admissible comme membre de la bande sont déterminées par la majorité des électeurs d'une bande indienne.

Les Inuits, eux, sont formellement sous la compétence fédérale depuis 1939. Nous avons mentionné précédemment que la Cour suprême du Canada a jugé que le terme « Indiens » dans la Loi constitutionnelle de 1867 comprend les Inuits. Par contre, le législateur fédéral n'a pas voulu que la Loi sur les Indiens s'applique à eux et il les en a expressément exclus.

Quant aux Métis, qui sont reconnus comme un peuple autochtone par la Constitution canadienne depuis 1982, ils ne sont pas régis collectivement par une loi particulière. Leur statut juridique est encore flou. On ne sait toujours pas s'ils relèvent de la compétence fédérale ou s'ils sont assujettis à la législation des provinces où ils se trouvent. Le constitutionnaliste canadien Hogg juge probable que les Métis relèvent de la compétence fédérale, surtout depuis qu'on les a qualifiés de peuples autochtones dans la Constitution.

S'ajoutent à cela les définitions que les différentes provinces ont pu adopter, de temps à autre, dans leurs champs de compétence respectifs. Nous en citerons deux exemples. Dans un accord politique signé en juin 1991, l'Ontario a reconnu que les nations indiennes vivant sur son territoire constituent des nations distinctes, ayant leurs gouvernements, leurs cultures, leurs langues, leurs traditions, leurs coutumes et leurs territoires.

D'autre part, nous avons vu que l'Assemblée nationale du Québec a adopté, en 1985, une motion qui qualifie les autochtones vivant au Québec de nations autochtones et qui presse le gouvernement de négocier avec celles-ci des ententes leur assurant l'autonomie à l'intérieur du Québec, de façon à leur permettre de se développer en tant que « nations distinctes ayant leur identité propre et exerçant leurs droits au sein du Québec ».

Il sera par ailleurs intéressant de voir l'interprétation que les tribunaux feront du terme « notamment », utilisé dans la définition des peuples autochtones de la Loi constitutionnelle de 1982, citée plus haut. L'emploi de ce terme peut laisser croire que l'énumération des trois peuples autochtones nommés dans cet article n'est pas exhaustive. Par exemple, les descendants des Indiens qui ne répondent pas aux critères d'admissibilité énoncés dans la Loi sur les Indiens pourraient peut-être se voir accorder la protection constitutionnelle de certains droits, que serait susceptible de reconnaître une interprétation large et libérale de la définition de peuples autochtones.

Ce n'est pas le but de cet ouvrage de tirer au clair les problèmes que pose la définition des nombreux termes dont on se sert pour désigner les autochtones. Mais leur multiplicité de même que la façon dont ils se chevauchent tout en ne recouvrant pas les mêmes critères sont symptomatiques de la complexité de ces questions.

L'appellation « peuples » avait posé d'importants problèmes au cours des discussions entourant l'élaboration et l'adoption de la convention n° 169. C'est en vue de répondre à quelques-uns des problèmes soulevés par certains États que l'on a ajouté une précision. On y indique en effet que l'emploi du terme « peuples », dans ce texte, ne peut en aucune manière être interprété comme ayant des conséquence de quelque nature que ce soit sur les droits qui peuvent s'attacher à ce terme, en vertu du droit international. Ainsi, on a voulu limiter la portée du terme « peuples », de telle sorte que l'interprétation de la Convention ne puisse impliquer la reconnaissance du droit complet à l'autodétermination pour les peuples autochtones. Voilà une des raisons principales de l'opposition des autochtones au texte final de cette convention de l'O.I.T.

Il n'en reste pas moins qu'il y a un écart significatif entre les normes internes canadiennes et les normes internationales de l'O.I.T. dans l'appellation même des peuples en question et dans les critères de définition de ces peuples.

La propriété de leurs terres traditionnelles

Le second élément que nous allons examiner est la partie de la convention qui porte sur les terres. Il s'agit d'un domaine majeur de conflit entre le droit canadien et les nouvelles normes établies par l'O.I.T. Cette question constituait l'un des motifs principaux pour lesquels le Canada avait refusé de ratifier la convention de 1957. Or, la convention n° 169 accentue le conflit qui existait déjà avec la version antérieure.

Le texte de la convention précise que les gouvernements doivent respecter l'importance particulière que revêt pour les autochtones leur relation avec les terres qu'ils occupent ou utilisent. Leurs droits de propriété et de possession sur les terres qu'ils occupent traditionnellement doivent être reconnus. En outre, les gouvernements doivent prendre les mesures appropriées pour sauvegarder le droit d'accès des autochtones aux terres, même s'ils ne les occupent pas d'une manière exclusive. De plus, les gouvernements doivent, si besoin est, prendre des mesures pour désigner les terres occupées traditionnellement par les autochtones et pour garantir la protection de leurs droits de propriété et de possession. Enfin, les gouvernements doivent adopter une procédure adéquate pour trancher les revendications des autochtones relatives aux terres.

Selon la Constitution canadienne, le droit de propriété des terres appartient, depuis 1867, aux provinces et au gouvernement fédéral pour ce qui est des territoires non érigés en provinces (Territoires du Nord-Ouest et Yukon) et des enclaves fédérales dans une province. Contrairement à ce qui a été adopté dans la convention n° 169, le Canada ne reconnaît donc pas un droit de propriété aux autochtones sur les terres qu'ils ont occupées et utilisées traditionnellement.

Les tribunaux ont confirmé cet état du droit à plusieurs reprises. Comme nous l'avons mentionné, la Cour suprême du Canada a reconnu, dans l'arrêt Guerin, que les Indiens ont des droits ancestraux découlant de l'occupation et de la possession historiques de leurs terres tribales. Par contre, le titre de propriété sur ces terres est détenu par l'État. Dans le jugement sur l'affaire Sioui, rendu en 1990, la Cour suprême résume la question en litige à un affrontement entre deux droits : le droit de propriété de la Couronne provinciale sur le territoire du Parc et le droit des Hurons d'exercer leur religion et leurs coutumes ancestrales sur ces terres. La Cour a précisé quelques jours plus tard, dans l'affaire Sparrow, qu'on n'a jamais douté que la souveraineté et la compétence législative à l'égard des terres revenaient à Sa Majesté, bien que la politique britannique envers la population autochtone fût fondée sur le respect de leur droit d'occuper leurs terres ancestrales, comme en faisait foi la Proclamation royale de 1763. Enfin, dans un troisième jugement rendu, quelques semaines plus tard, dans l'affaire Mitchell, la Cour suprême du Canada a conclu que la preuve historique démontre qu'il n'y a aucun doute que les peuples autochtones ont reconnu la souveraineté ultime de la Couronne britannique et ont accepté de lui céder leurs terres traditionnelles, pourvu que la Couronne les protège par la suite dans la possession et l'usage des terres qui leur étaient réservées.

De plus, sauf exception, le Canada ne reconnaît pas aux autochtones un droit de propriété sur les terres des réserves indiennes. Quoique le statut des réserves indiennes varie énormément, les terres de réserve ont généralement en commun le fait d'appartenir au gouvernement fédéral ou provincial. La loi n'accorde qu'un droit individuel de possession sur un terrain à l'intérieur d'une réserve et qu'un droit d'usage collectif à la bande indienne pour laquelle les terres ont été mises de côté. Un changement au régime constitutionnel de propriété des terres publiques nécessiterait des amendements à la Constitution canadienne et la participation obligatoire des provinces. Le gouvernement fédéral ne peut donc procéder seul à ce chapitre. Or, les conférences constitutionnelles sur les questions intéressant les autochtones qui ont eu lieu entre 1982 et 1987 ont révélé que les provinces ne sont pas d'accord pour remettre en question le droit de propriété sur les terres publiques que leur reconnaît actuellement la Constitution canadienne et rien n'indique qu'elles ont changé d'avis depuis.

Il est vrai que le gouvernement fédéral accepte maintenant de transférer des terres ou des ressources en pleine propriété à des autochtones à l'occasion du règlement de leurs revendications territoriales. Mais il s'agit simplement d'une politique administrative qui peut être révoquée n'importe quand par le gouvernement fédéral et qui n'affecte en rien le droit ultime de propriété de l'État canadien.

Les accords qui interviennent en règlement de ces revendications territoriales prévoient, en général, l'octroi aux autochtones de droits de propriété sur les terres et sur certaines ressources naturelles. Mais tous les autochtones n'ont pas accès à ce processus, puisqu'il est réservé aux groupes qui n'ont pas signé de traité de cession de leurs droits ancestraux sur leurs terres traditionnelles. Ce transfert de droits de propriété sur des terres se fait à l'occasion d'une négociation à laquelle le gouvernement consent. Il ne s'agit pas d'un constat formel de la reconnaissance d'un droit pré-existant de propriété aux autochtones. De plus, le transfert de droit de propriété effectué dans le cadre de cette politique, requiert la participation de la province concernée, quand les revendications portent sur des terres qui appartiennent à une province.

Tout indique que la politique canadienne de règlement des revendications territoriales ne répond pas non plus aux critères de ce que la convention appelle une procédure « adéquate ». En effet, cette politique ne crée pas d'obligation juridique pour le gouvernement et peut être abrogée sans autre formalité par celui-ci, qui s'y trouve juge et partie. Le fait que l'amorce du processus de négociation territoriale relève de la discrétion du gouvernement ne répond probablement pas non plus aux exigences de la convention. Celle-ci prévoit plutôt l'obligation d'instituer une procédure inscrite dans le système juridique de l'État, et non une simple procédure administrative facultative comme celle qui existe actuellement au Canada.

La convention est entrée en vigueur en septembre 1991. Sept États ont apposé leur signature jusqu'ici : la Bolivie, la Colombie, le Costa Rica, le Mexique, la Norvège, le Paraguay et le Pérou. Le Canada, lui, n'a pas ratifié cette convention, pas plus qu'il n'avait ratifié la convention n° 107 en 1957. Déjà, le Canada estimait qu'il y avait un conflit irréductible entre cette convention et le droit canadien. Celle-ci prévoyait que les droits de propriété, collectifs et individuels, des membres des populations autochtones devaient être reconnus sur les terres qu'elles occupaient traditionnellement. Cet article était en contradiction avec le régime juridique canadien des réserves indiennes, qui sont la propriété de la Couronne (fédérale ou provinciale) et qui sont mises de côté à l'usage et au profit des bandes indiennes. Or, la convention n° 169 va beaucoup plus loin encore.

On peut dire que les nouvelles normes de la Convention n° 169 n'ont pas diminué, mais ont plutôt accentué l'écart qui existait déjà entre les normes canadiennes et les normes de l'O.I.T. L'écart entre ces deux éléments essentiels de la Convention n° 169 et le régime juridique actuellement en vigueur au Canada est tel qu'il constitue un obstacle à la ratification de cette Convention par celui-ci. On ne décèle pas une volonté politique au Canada de procéder à des changements législatifs qui tendraient à rendre la situation canadienne conforme à ces nouvelles normes internationales.

C'est sur le plan politique que sont le plus sensibles les effets de l'adoption de ces nouvelles normes par l'O.I.T. et des discussions au sujet du projet de Déclaration des droits des peuples autochtones. En effet, la situation des pays où vivent des autochtones a radicalement changé depuis quarante ans. Les questions autochtones ont dépassé les frontières des États et il devient de plus en plus difficile de les traiter comme des questions politiques strictement internes à ces États. L'évolution de la réflexion internationale force une certaine évolution de la réflexion au sein des pays. Provoquée en grande partie par l'action internationale des autochtones, cette évolution sur le plan international ne peut manquer de produire des effets, au moins indirects, sur la situation interne des pays où vivent ceux-ci.

Enfin, on ne peut que constater que les droits reconnus aux autochtones au Canada, et qui sont contestés par plusieurs, se situent en deça de certaines normes internationales à l'heure actuelle. Dans ce contexte, il faut s'attendre à une recrudescence des revendications des autochtones plutôt qu'à l'inverse.

CONCLUSION

Le défi

D ans un régime démocratique, la loi est l'expression de la volonté populaire. À titre de représentants du peuple, les députés sont élus pour exprimer, en son nom, un consensus sur les valeurs de cette société dans divers domaines de la vie. Ces valeurs sont ensuite incorporées dans des lois. Voilà le fondement d'un État comme le Canada.

Or, il importe de se rappeler que les autochtones n'ont pas eu le droit de vote au Canada avant les années 60. Jusqu'à cette époque, ils n'ont donc pas pu participer à l'élaboration des lois existantes. Le droit de vote constitue pourtant un droit démocratique fondamental, puisqu'il est à la base du système qui permet au régime élu de faire des lois et aux tribunaux d'imposer des sanctions à ceux qui ne les respectent pas. Cet élément essentiel fonde la légitimité de l'État. L'État se maintient donc à partir du respect que ses citoyens lui accordent volontairement en échange des bénéfices qu'ils en retirent.

La situation qui leur a été imposée au Canada jusqu'aux années 60 est à la source des revendications, de plus en plus clairement exprimées, par les autochtones. On a l'impression que l'État canadien n'a jamais établi sa légitimité face à eux. Or, cette légitimité est essentielle à l'amélioration de la situation. Les événements violents qui se sont succédé dans plusieurs provinces canadiennes depuis 1990 constituent un indicateur inquiétant, de ce point de vue.

En tant que consensus sur les valeurs sociales, les lois sont appelées à être modifiées au gré de l'évolution des mentalités au sein des sociétés. Les changements législatifs traduisent les changements sociaux. Ainsi se fait l'histoire. Malgré ce que de nombreux régimes ont prétendu à différentes époques de l'histoire de l'humanité, les lois ne constituent pas des diktats absolus ou objectifs, imposés par la fatalité ou par une autorité supérieure. Elles sont le reflet de la société qui les a votées.

Dans leurs jugements, les tribunaux expriment, eux aussi, l'évolution de la réflexion sociale sur les sujets litigieux qui leur sont soumis. En 1929, un juge affirmait qu'« une nation civilisée qui découvre la première un pays peuplé de gens non civilisés ou de sauvages considère ce pays comme le sien ». En 1985, la Cour suprême du Canada a reconnu que ce vocabulaire traduisait les préjugés d'une autre époque de notre histoire et que « ce langage n'est désormais plus acceptable en droit canadien[1] ».

Si la Cour suprême du Canada estime qu'un tel discours est l'expression de préjugés qui ne devraient plus avoir cours, ce n'est pas parce que ses juges d'aujourd'hui sont particulièrement plus intelligents ni plus « politiquement corrects » que ceux des années 20 au Canada. Ces derniers exprimaient les consensus de leur époque sur le degré de « civilisation » des sociétés autochtones qui peuplaient les Amériques au moment où les Européens sont venus s'y installer. Cette remarque de la Cour suprême traduit plutôt le changement intervenu dans la conception de la société à cet égard. Ces changements constants des valeurs sociales font en sorte que rien ne garantit que ce qui est admis socialement à une époque le restera indéfiniment. Il en va de même pour les lois.

Il n'y a peut-être pas de domaine où les changements sont aussi profonds qu'en ce qui concerne les questions autochtones au cours des cinquante dernières années. On est passé de l'idée, qui a longtemps prévalu, de la nécessité d'établir des réserves pour civiliser les Indiens, avant de les mettre en contact avec les colons européens, à la discussion qui se poursuit, en cette fin du XXe siècle, sur l'opportunité d'établir un ordre de gouvernement autochtone autonome.

Ces changements ne se sont pas produits tout seuls. L'action des autochtones eux-mêmes a provoqué l'évolution de la réflexion à leur égard. Un peu de recul nous permet en effet de constater que les autochtones, au Canada comme ailleurs dans le monde, ont résisté depuis plus de cinq cents ans à la volonté des puissances européennes de les assujettir, au mépris de leurs cultures. Ils n'ont jamais accepté de disparaître collectivement, et ils ont réussi à conserver au moins certaines des

---

1. Simon c. la Reine [1985] 2 R.C.S. 387, p. 399.

caractéristiques qui les distinguent, non seulement du reste de la société, mais également entre eux. C'est le même refus de disparaître collectivement qu'ils continuent d'exprimer dans leur lutte contemporaine. Les phénomènes locaux ne peuvent toutefois pas expliquer totalement l'évolution qui s'est produite au XXe siècle, dans beaucoup de pays et sur le plan international.

Des phénomènes politiques comme la décolonisation ont conduit à la réflexion actuelle sur le statut des peuples autochtones en droit international. La mondialisation des communications a suscité un important rapprochement entre les autochtones du monde entier, qui ont tissé de nouveaux liens plus ou moins formels entre eux. Quoique la situation des autochtones varie beaucoup d'un pays à l'autre, cette communication nouvelle a entraîné l'éclosion d'une conscience commune ou, du moins, de la conscience d'éprouver des problèmes communs. La circulation des divers discours autochtones a favorisé l'élaboration d'un discours universel, qu'on soit un Indien de Colombie, un aborigène d'Australie ou un Inuit du Canada. Ce discours commun gagne de plus en plus de terrain, tant sur la scène internationale qu'au sein des pays où vivent des autochtones. La mondialisation du discours autochtone, qui se fait de plus en plus pressante, s'accompagne de l'émergence de nouvelles solidarités autochtones transfrontalières. Le moindre avancement de la cause, à l'intérieur d'un État ou sur le plan international, profite, en ce sens, à tous les autochtones du monde. On assiste donc non seulement à une plus grande organisation des autochtones, mais également à une augmentation importante de leurs attentes.

Il est désormais impossible de nier que les programmes publics qui ont été imposés aux autochtones jusqu'ici se sont soldés par un échec. Les conditions socioéconomiques déplorables dans lesquelles ils vivent en sont l'expression éloquente. L'augmentation rapide de la population autochtone dans ces conditions appelle des interventions majeures.

Le passé est irrévocable, mais tous devront faire preuve d'une originalité et d'une créativité peu communes dans l'élaboration de solutions pour l'avenir. Cette originalité et cette créativité, qui n'apparaissent pas actuellement dans le paysage politique, s'imposent dans les circonstances.

Par exemple, la nécessité d'entreprendre de nouvelles recherches historiques fait lentement son chemin. Comme les recherches historiques ont été limitées à la perspective des Européens jusqu'ici, une

lecture différente s'impose pour tenir compte de la perspective autochtone, malgré le problème réel que représente le manque de sources primaires autochtones. Cette étape est essentielle pour asseoir la légitimité
de l'État. Plus on résistera à admettre que l'histoire a été écrite par et
pour les Européens, plus il sera difficile de construire une relation meil-
leure avec les autochtones. Cela ne veut pas dire complaisance dans
l'apitoiement ou le sentiment de culpabilité. Une relecture de l'histoire
me semble néanmoins nécessaire, ne serait-ce que sur le plan symbolique. Il faudra bien qu'un jour les autochtones aient autre chose à dire
aux Blancs qu'ils leur ont volé leurs terres, et que les Blancs puissent leur
répondre autre chose qu'ils ne sont pas des voleurs de territoires.

Il ne faut pas non plus sous-estimer les engagements pris récemment envers les autochtones. Les négociations qui ont eu lieu depuis
quelques années, si ardues qu'elles aient été, ont été l'occasion pour les
autochtones de faire des gains importants, du moins en théorie. Tous
ces pourparlers ont peut-être un peu souffert des visées politiques de
chacune des parties, mais les gouvernements du Canada ont néanmoins
reconnu aux autochtones des droits dont la portée est non négligeable
en théorie. Qu'ils aient omis de définir en pratique les droits qu'il garan-
tissaient par ailleurs aux autochtones laisse entrevoir encore de longues
années de tensions, de palabres et de recours en justice.

Ce qui peut paraître étonnant, en somme, c'est que les autochtones
du monde entier aient entrepris, au XXᵉ siècle, des luttes politiques, alors
qu'ils sont dans un rapport de force qui leur est nettement défavorable
face aux États qu'ils affrontent. L'importance que ces luttes politiques ont
prise déroute d'autant plus quand on songe à leur faible poids démographique dans plusieurs pays, dont le Canada. Il faut se garder de réduire
le combat autochtone à une conspiration ou à l'incarnation de la fatalité. Dans ce cas-ci, comme dans toutes les luttes politiques, les autochtones vont tenter par tous les moyens d'améliorer leur position dans ce
rapport de force. Le Canada et le Québec n'y feront pas exception.

Sources

Algonquin Nation, *Presentation to the members of the Committee to examine matters relating to the accession of Quebec to sovereignty* par J. M. Matchewan, Assemblée nationale du Québec, 4 février 1992.

S. J. Anaya, R. Falk et D. Pharand, *L'obligation de fiduciaire du Canada envers les peuples autochtones dans le contexte de l'accession du Québec à la souveraineté, Dimension internationale,* Commission royale sur les peuples autochtones, Ottawa, ministère des Approvisionnements et Services, 1995.

Assemblée des Premières Nations, *Mémoire à l'intention de l'Assemblée nationale — Commission parlementaire étudiant les questions afférentes à l'accession du Québec à la souveraineté,* Assemblée nationale, 11 février 1992.

Association des Centres de services sociaux du Québec, *Les nations autochtones et les services sociaux : vers une véritable autonomie* (Mémoire), septembre 1985.

Association des Indiens du Québec, *Mémoire soumis au ministre du Tourisme, de la Chasse et de la Pêche,* 4 décembre 1967, dans Rapport de la Commission d'étude sur l'intégrité du territoire du Québec, vol. 4. 2 (Mémoires), mai 1973, p. 175.

Association des Indiens du Québec, *Mémoire soumis au ministre du Revenu,* 17 juin 1968, dans Rapport de la Commission d'étude sur l'intégrité du territoire du Québec, vol. 4. 2 (Mémoires), mai 1973, p. 217.

Association des Indiens du Québec, *Mémoire soumis à la Commission d'étude sur l'intégrité du territoire du Québec,* 7 janvier 1969, dans Rapport de la Commission d'étude sur l'intégrité du territoire du Québec, vol. 4. 2 (Mémoires), mai 1973, p. 5.

Association des Indiens du Québec, *Supplément au mémoire soumis à la Commission d'étude sur l'intégrité du territoire du Québec,* 19 août 1969, dans Rapport de la Commission d'étude sur l'intégrité du territoire du Québec, vol. 4. 2 (Mémoires), mai 1973, p. 109.

Barreau du Québec, *Pour une conciliation équitable des intérêts des peuples d'origine autochtone et non autochtone résidant au Québec,* mémoire présenté devant la Commission royale sur les peuples autochtones du Canada, novembre 1992, 16 p.

A. Beaulieu, *Convertir les fils de Caïn,* Québec, Nuit Blanche éditeur, 1994.

T. R. Berger, *La Sombre Épopée,* Montréal, Éditions du Boréal, 1993.

T. R. Berger, *Native Rights and self-determination : an address to the conference on the voices of native people,* sept. 25, 1983, (1984) 22 U.W.O.L.R. 1.

W. I. C. Binnie, « The Sparrow doctrine : beginning of the end or end of the beginning ? », (1990) 15 *Queen's Law Journal* 217.

A. Bissonnette, *Les Revendications constitutionnelles des peuples autochtones en matière d'autonomie gouvernementale,* Mémoire présenté devant la Commission d'étude sur toute offre d'un nouveau partenariat de nature constitutionnelle, Assemblée nationale du Québec, mars 1992.

D. Boisvert, *Forms of self-government* (Background paper n° 2), Institute of intergovernmental relations, Queen's University, Kingston (Ontario), 1984.

M. Boldt et J. A. Long (dir.), *The Quest for Justice,* Toronto, University of Toronto Press, 1985.

G. Bowers et S. Vincent (dir.), *Forum sur la convention de la baie James et du Nord québécois : dix ans après,* Montréal, Québec, Recherches amérindiennes au Québec, 1988.

K. L. Brock, *The politics of aboriginal self-government : a canadian paradox, (*1990) 34 Administration publique du Canada 272.

D. Cameron et J. Wherrett, *New Relationship, New Challenges : Aboriginal Peoples and the Province of Ontario,* étude pour la Commission royale sur les peuples autochtones, inédit.

Canada, Commission Crie-Naskapie, *Rapport,* Ottawa, 1987.

Canada, Commission de réforme du droit du Canada, *Les peuples autochtones et la justice pénale,* rapport n° 34, Ottawa, décembre 1991.

Canada, Commission des revendications des Indiens, Actes de la Commission des revendications des Indiens, (1996) 5 ACRI, ministère des Travaux publics et Services gouvernementaux, Ottawa, 1996.

Canada, Commission des revendications des Indiens, *Rapport annuel 1995-1996, Vers l'équité dans nos négociations,* ministère des Travaux publics et Services gouvernementaux, 1996.

Canada, Commission royale sur la réforme électorale et le financement des partis, *Vers l'égalité électorale,* Rapport du comité sur la réforme électorale autochtone, Ottawa, 1991.

Canada, Commission royale sur les peuples autochtones, *Au cœur du dialogue,* document de réflexion n° 2, audiences publiques, avril 1993.

Canada, Commission royale sur les peuples autochtones, *Compte rendu de la première série d'audiences publiques,* octobre 1992.

Canada, Commission royale sur les peuples autochtones, *Compte rendu de la deuxième série d'audiences publiques,* avril 1993.

Canada, Commission royale sur les peuples autochtones, *Compte rendu de la troisième série d'audiences publiques. L'heure des choix,* novembre 1993.

Canada, Commission royale sur les peuples autochtones, *Compte rendu de la quatrième série d'audiences publiques. Vers une réconciliation,* avril 1994.

Canada, Commission royale sur les peuples autochtones, *Conclure des traités dans un esprit de coexistence. Une solution de rechange à l'extinction du titre ancestral,* Ottawa, 1994.

Canada, Commission royale sur les peuples autochtones, *La réinstallation dans l'Extrême-Arctique. Un rapport sur la réinstallation de 1953-1955,* Ottawa, 1994.

Canada, Commission royale sur les peuples autochtones, *Le droit à l'autonomie gouvernementale et la Constitution,* Ottawa, février 1992.

Canada, Commission royale sur les peuples autochtones, *Les questions en jeu,* document de réflexion n° 1, audiences publiques, octobre 1992.

Canada, Commission royale sur les peuples autochtones, *Le Recueil électronique : audiences publiques,* Ottawa, ministère des Approvisionnements et Services, 1993.

Canada, Commission royale sur les peuples autochtones, Presentation by Akwesasne Justice Department, Round III, Akwesasne, Ontario, May 4, 1994, Canada, *Le Recueil électronique : audiences publiques,* Ottawa, ministère des Approvisionnements et Services, 1993.

Canada, Commission royale sur les peuples autochtones, *Les peuples autochtones et la justice,* Ottawa, ministère des Approvisionnements et Services, 1993.

Canada, Commission royale sur les peuples autochtones, *Partenaires au sein de la Confédération. Les peuples autochtones, l'autonomie gouvernementale et la Constitution,* Ottawa, ministère des Approvisionnements et Services, 1993.

Canada, Commission royale sur les peuples autochtones, *Rapport de la Commission royale sur les peuples autochtones.* Vol. 1 : *Un passé, un avenir,* Ottawa, ministère des Approvisionnements et Services, 1996.

CANADA, Commission royale sur les peuples autochtones, *Rapport de la Commission royale sur les peuples autochtones.* Vol. 2 : *Une relation à définir* (première partie), Ottawa, ministère des Approvisionnements et Services, 1996.

Canada, Commission royale sur les peuples autochtones, *Rapport de la Commission royale sur les peuples autochtones*. Vol. 2 : *Une relation à redéfinir* (deuxième partie), Ottawa, ministère des Approvisionnements et Services, 1996.

Canada, Commission royale sur les peuples autochtones, *Rapport de la Commission royale sur les peuples autochtones*. Vol. 3 : *Vers un ressourcement*, Ottawa, ministère des Approvisionnements et Services, 1996.

Canada, Commission royale sur les peuples autochtones, *Rapport de la Commission royale sur les peuples autochtones*. Vol. 4 : *Perspectives et réalités*, Ottawa, ministère des Approvisionnements et Services, 1996.

Canada, Commission royale sur les peuples autochtones, *Rapport de la Commission royale sur les peuples autochtones*. Vol. 5 : *Vingt ans d'action soutenue pour le renouveau*, Ottawa, ministère des Approvisionnements et Services, 1996.

Canada, Commission royale sur les peuples autochtones, Soumission de l'Assemblée des Premières Nations du Québec et du Labrador, Troisième série d'audiences publiques, Québec, 25 mai 1993, *Le Recueil électronique : audiences publiques*, Ottawa, ministère des Approvisionnements et Services, 1993.

Canada, Commission royale sur les peuples autochtones, Soumission de l'Association des femmes autochtones du Québec, Troisième série d'audiences publiques, Québec, 25 mai 1993, *Le Recueil électronique : audiences publiques*, Ottawa, ministère des Approvisionnements et Services, 1993.

Canada, Commission royale sur les peuples autochtones, Soumission de l'Association des industries forestières du Québec, Troisième série d'audiences publiques, Québec, 25 mai 1993, *Le Recueil électronique : audiences publiques*, Ottawa, ministère des Approvisionnements et Services, 1993.

Canada, Commission royale sur les peuples autochtones, Soumission de l'Association des Métis et Indiens hors réserve du Québec, Deuxième série d'audiences publiques, Wendake, 17 novembre 1992 ; Troisième série d'audiences publiques, Québec, 25 mai 1993, *Le Recueil électronique : audiences publiques,* Ottawa, ministère des Approvisionnements et Services, 1993.

Canada, Commission royale sur les peuples autochtones, Présentation du Barreau de Québec, Deuxième série d'audiences publiques, Wendake, 18 novembre 1992, *Le Recueil électronique : audiences publiques,* Ottawa, ministère des Approvisionnements et Services, 1993.

Canada, Commission royale sur les peuples autochtones, Présentation du Barreau du Québec, Quatrième série d'audiences publiques, Wendake, 30 novembre 1993, *Le Recueil électronique : audiences publiques,* Ottawa, ministère des Approvisionnements et Services, 1993.

Canada, Commission royale sur les peuples autochtones, Soumission de la Centrale de l'enseignement du Québec, Deuxième série d'audiences publiques, Montréal, 1ᵉʳ décembre 1993, *Le Recueil électronique : audiences publiques,* Ottawa, ministère des Approvisionnements et Services, 1993.

Canada, Commission royale sur les peuples autochtones, Soumission du Centre de recherche Fernand Séguin, Hôpital L. H. Lafontaine, Université de Montréal, Quatrième série d'audiences publiques, Montréal, 3 décembre 1993, *Le Recueil électronique : audiences publiques,* Ottawa, ministère des Approvisionnements et Services, 1993.

Canada, Commission royale sur les peuples autochtones, Soumission du Comité canadien d'action sur le statut de la femme et du Comité québécois des droits indiens pour les femmes indiennes, Troisième série d'audiences publiques, Montréal, 27 mai 1993, *Le Recueil électronique : audiences publiques,* Ottawa, ministère des Approvisionnements et Services, 1993.

Canada, Commission royale sur les peuples autochtones, Soumission du Comité constitutionnel du Nunavik, Troisième série d'audiences publiques, Montréal, 27 mai 1993, *Le Recueil électronique : audiences publiques*, Ottawa, ministère des Approvisionnements et Services, 1993.

Canada, Commission royale sur les peuples autochtones, Soumission du Comité d'appui aux Premières Nations, Deuxième série d'audiences publiques, Wendake, 17 novembre 1992, *Le Recueil électronique : audiences publiques*, Ottawa, ministère des Approvisionnements et Services, 1993.

Canada, Commission royale sur les peuples autochtones, Soumission de la Commission des droits de la personne du Québec, Quatrième série d'audiences publiques, Montréal, 15 novembre 1993, *Le Recueil électronique : audiences publiques*, Ottawa, ministère des Approvisionnements et Services, 1993.

Canada, Commission royale sur les peuples autochtones, Presentation by Concordia University, Quatrième série d'audiences publiques, Montréal, 15 novembre 1993, *Le Recueil électronique : audiences publiques*, Ottawa, ministère des Approvisionnements et Services, 1993.

Canada, Commission royale sur les peuples autochtones, Soumissions du Conseil des Attikameks, Deuxième série d'audiences publiques, Mani-Utenam, 20 novembre 1992 ; Deuxième série d'audiences publiques, Manouane, 3 décembre 1992 ; Quatrième série d'audiences publiques, Montréal, 18 novembre 1993 ; *Le Recueil électronique : audiences publiques*, Ottawa, ministère des Approvisionnements et Services, 1993.

Canada, Commission royale sur les peuples autochtones, Soumissions du Conseil des femmes de Manouane, Deuxième série d'audiences publiques, Manouane, 3 décembre 1992 ; *Le Recueil électronique : audiences publiques*, Ottawa, ministère des Approvisionnements et Services, 1993.

Canada, Commission royale sur les peuples autochtones, Soumissions du Conseil général des femmes attikameks, Deuxième série d'audiences publiques, Manouane, 3 décembre 1992 ; *Le Recueil électronique : audiences publiques*, Ottawa, ministère des Approvisionnements et Services, 1993.

Canada, Commission royale sur les peuples autochtones, Soumissions du Conseil de la nation huronne-wendat, Deuxième série d'audiences publiques, Wendake, 17 novembre 1992 ; *Le Recueil électronique : audiences publiques,* Ottawa, ministère des Approvisionnements et Services, 1993.

Canada, Commission royale sur les peuples autochtones, Soumissions du Conseil des Montagnais de Mingan, Troisième série d'audiences publiques, Montréal, 25 mai 1993 ; *Le Recueil électronique : audiences publiques,* Ottawa, ministère des Approvisionnements et Services, 1993.

Canada, Commission royale sur les peuples autochtones, Soumission du Conseil des Montagnais du Lac-Saint-Jean, Deuxième série d'audiences publiques, Wendake, 18 novembre 1992, *Le Recueil électronique : audiences publiques,* Ottawa, ministère des Approvisionnements et Services, 1993.

Canada, Commission royale sur les peuples autochtones, Soumissions du Conseil de Wemotaci, Deuxième série d'audiences publiques, Manouane, 3 décembre 1992 ; *Le Recueil électronique : audiences publiques,* Ottawa, ministère des Approvisionnements et Services, 1993.

Canada, Commission royale sur les peuples autochtones, Soumissions de la Fédération des femmes du Québec, Quatrième série d'audiences publiques, Montréal, 2 décembre 1993 ; *Le Recueil électronique : audiences publiques,* Ottawa, ministère des Approvisionnements et Services, 1993.

Canada, Commission royale sur les peuples autochtones, Soumissions de la Fédération des policiers du Québec, Deuxième série d'audiences publiques, Wendake, 18 novembre 1992 ; *Le Recueil électronique : audiences publiques,* Ottawa, ministère des Approvisionnements et Services, 1993.

Canada, Commission royale sur les peuples autochtones, Soumissions de la Fédération québécoise de la faune, *Le Recueil électronique : audiences publiques,* Ottawa, ministère des Approvisionnements et Services, 1993.

Canada, Commission royale sur les peuples autochtones, Presentation by Intercultural Institute of Montreal, Troisième série d'audiences publiques, Kahnawake, 5 mai 1993, *Le Recueil électronique : audiences publiques,* Ottawa, ministère des Approvisionnements et Services, 1993.

Canada, Commission royale sur les peuples autochtones, Presentation by Kahnawake Education Centre, Troisième série d'audiences publiques, Kahnawake, 5 mai 1993, *Le Recueil électronique : audiences publiques,* Ottawa, ministère des Approvisionnements et Services, 1993.

Canada, Commission royale sur les peuples autochtones, Presentation by Kahnawake Economic development group, Troisième série d'audiences publiques, Kahnawake, 5 mai 1993, *Le Recueil électronique : audiences publiques,* Ottawa, ministère des Approvisionnements et Services, 1993.

Canada, Commission royale sur les peuples autochtones, Presentation by Kahnawake Youth Centre, Troisième série d'audiences publiques, Kahnawake, 5 mai 1993, *Le Recueil électronique : audiences publiques,* Ottawa, ministère des Approvisionnements et Services, 1993.

Canada, Commission royale sur les peuples autochtones, Presentation by Kitigan Zibi Anishinabeg Council, Deuxième série d'audiences publiques, Maniwaki, 2 décembre 1992, *Le Recueil électronique : audiences publiques,* Ottawa, ministère des Approvisionnements et Services, 1993.

Canada, Commission royale sur les peuples autochtones, Soumission de la Ligue des droits et libertés du Québec, Quatrième série d'audiences publiques, Montréal, 17 novembre 1993, *Le Recueil électronique : audiences publiques,* Ottawa, ministère des Approvisionnements et Services, 1993.

Canada, Commission royale sur les peuples autochtones, Presentation by Listugug Mi gmaq First Nation, Round III, Restigouche, 17 juin 1993, *Le Recueil électronique : audiences publiques,* Ottawa, ministère des Approvisionnements et Services, 1993.

Canada, Commission royale sur les peuples autochtones, Presentation by Mohawk Board of Education (Akwesasne), Round III, Akwesasne, Ontario, 4 mai 1993, *Le Recueil électronique : audiences publiques*, Ottawa, ministère des Approvisionnements et Services, 1993.

Canada, Commission royale sur les peuples autochtones, Presentation by Mohawk Council of Kahnawake, Round III, Kahnawake, 6 mai 1993, *Le Recueil électronique : audiences publiques*, Ottawa, ministère des Approvisionnements et Services, 1993.

Canada, Commission royale sur les peuples autochtones, Presentation by Mohawk Police (Akwesasne), Round III, Akwesasne, Ontario, 4 mai 1993, *Le Recueil électronique : audiences publiques*, Ottawa, ministère des Approvisionnements et Services, 1993.

Canada, Commission royale sur les peuples autochtones, Presentation by Native Teachers' Association (Akwesasne), Round III, Akwesasne, Ontario, 4 mai 1993, *Le Recueil électronique : audiences publiques*, Ottawa, ministère des Approvisionnements et Services, 1993.

Canada, Commission royale sur les peuples autochtones, Soumission de la Régie régionale de la santé et des services sociaux de l'Abitibi-Témiscamingue, Deuxième série d'audiences publiques, Val d'Or, 30 novembre 1992, *Le Recueil électronique : audiences publiques*, Ottawa, ministère des Approvisionnements et Services, 1993.

Canada, Commission royale sur les peuples autochtones, Soumission du secrétariat aux Affaires autochtones, Troisième série d'audiences publiques, Montréal, 27 mai 1993, *Le Recueil électronique : audiences publiques*, Ottawa, ministère des Approvisionnements et Services, 1993.

Canada, Commission royale sur les peuples autochtones, Soumission de l'Université du Québec à Rouyn-Noranda, Troisième série d'audiences publiques, Montréal, 26 mai 1993, *Le Recueil électronique : audiences publiques*, Ottawa, ministère des Approvisionnements et Services, 1993.

Canada, Commission royale sur les peuples autochtones, Soumission de la ville de Québec, Deuxième série d'audiences publiques, Wendake, 17 novembre 1992, *Le Recueil électronique : audiences publiques*, Ottawa, ministère des Approvisionnements et Services, 1993.

Canada, Commission royale sur les peuples autochtones, Presentation by Waswanipi nation Council, Première série d'audiences publiques, Waswanipi, 9 juin 1992, *Le Recueil électronique : audiences publiques*, Ottawa, ministère des Approvisionnements et Services, 1993.

Canada, Commission royale sur les peuples autochtones, *Table ronde nationale sur le développement économique et les ressources*, 27-29 avril 1993.

Canada, Chambre des Communes, *Loi sur le règlement des revendications des autochtones de la baie James et du Nord québécois*, dans Débats des Communes, 21 octobre 1976, p. 308 ss.

Canada, Chambre des Communes, *Loi sur le règlement des revendications des autochtones de la baie James et du Nord québécois*, dans Débats des Communes, 7 décembre 1976, p. 1572 ss.

Canada, Chambre des Communes, *Loi sur le règlement des revendications des autochtones de la baie James et du Nord québécois*, dans Débats des Communes, 8 décembre 1976, p. 1785 ss.

Canada, Chambre des Communes, *Loi sur le règlement des revendications des autochtones de la baie James et du Nord québécois*, dans Débats des Communes, 14 décembre 1976, p. 1798 ss.

Canada, Chambre des Communes, *Loi sur le règlement des revendications des autochtones de la baie James et du Nord québécois*, dans Débats des Communes, 14 décembre 1976, p. 2009 ss.

Canada, Chambre des Communes, Bill C-9, *Loi sur les règlements des revendications des autochtones de la baie James et du Nord québécois*, Procès-verbaux et témoignages du Comité permanent des Affaires indiennes et du développement du Nord canadien, fascicule n° 20, 3 mars 1977.

Canada, Chambre des Communes, *Loi sur le règlement des revendications des autochtones de la baie James et du Nord québécois*, dans

Débats des Communes, 2e session, 30e Législature, 25-26 Élizabeth II, 1976-1977, 28 avril 1977, p. 5085.

Canada, Chambre des Communes, *Loi sur le règlement des revendications des autochtones de la baie James et du Nord québécois,* dans Débats des Communes, 2e session, 30e Législature, 25-26 Élizabeth II, 1976-1977, 4 mai 1977, p. 5286.

Canada, Groupe de travail interministériel, *Rapports fiduciaires entre la Couronne et les peuples autochtones : questions de mise en application et de gestion — Un guide pour les gestionnaires,* Rapport présenté au Comité des sous-ministres sur la justice et les questions juridiques, Gouvernement du Canada, Ottawa, 1993.

Canada, *La Politique indienne du gouvernement du Canada 1969,* présentée par l'hon. Jean Chrétien, 28e session du Parlement, Ottawa, 1984.

Canada, *Les Conventions du Québec nordique : rôle du gouvernement du Canada, ministères des Affaires indiennes et du Nord, des Pêches et Océans et de l'Environnement,* Ottawa, 1985.

Canada, ministère des Affaires indiennes et du Nord, *Accroissement des dépenses consacrées aux peuples autochtones,* Ottawa, 1993.

Canada, ministère des Affaires indiennes et du Nord, *Aperçu de la situation démographique et socioéconomique des Inuits du Canada* par N. Robitaille et R. Choinière, Ottawa, 1984.

Canada, ministère des Affaires indiennes et du Nord, *Autonomie gouvernementale des Indiens. Guide de la politique fédérale,* Ottawa, 1995.

Canada, ministère des Affaires indiennes et du Nord, *Autonomie gouvernementale des Indiens : sujets essentiels et optionnels,* Ottawa, 15 mai 1990.

Canada, ministère des Affaires indiennes et du Nord, *Autonomie gouvernementale des autochtones,* Ottawa, mars 1991.

Canada, ministère des Affaires indiennes et du Nord, *Autonomie gouvernementale des Indiens : sujets essentiels et optionnels,* Ottawa, 15 mai 1990.

Canada, ministère des Affaires indiennes et du Nord, *Autonomie gouvernementale — négociations avec les collectivités* (Énoncé de politique) Ottawa, septembre 1989.

Canada, ministère des Affaires indiennes et du Nord, *Autonomie gouvernementale — négociations avec les collectivités,* (Lignes directrices), Ottawa, 1988.

Canada, ministère des Affaires indiennes et du Nord, *Compétences législatives sur les réserves indiennes au Canada* par W. B. Henderson, Ottawa, 1982.

Canada, ministère des Affaires indiennes et du Nord, Canada, *Cris-Inuits-Naskapis, Rapport annuel 1995, La convention de la baie James et du Nord québécois et la Convention du Nord-est québécois,* Ottawa, ministère des Travaux publics et Services gouvernementaux, 1995.

Canada, ministère des Affaires indiennes et du Nord, *Données ministérielles de base-1995,* Ottawa, janvier 1996.

Canada, ministère des Affaires indiennes et du Nord, *Dossiers en souffrance,* une politique des revendications des autochtones : revendications particulières, Ottawa, 1982.

Canada, ministère des Affaires indiennes, *Entente de principe sur la revendication territoriale globale des Dénés et des Métis,* Ottawa, septembre 1988.

Canada, ministère des Affaires indiennes, *Entente de principe sur la revendication territoriale globale du Conseil des Indiens du Yukon,* Ottawa, mai 1989.

Canada, ministère des Affaires indiennes et du Nord, *Entente sur la revendication territoriale globale des Gwich'in,* vol. I et II, Ottawa, 1992.

Canada, ministère des Affaires indiennes et du Nord, *En toute justice,* une politique des revendications des autochtones, 1981.

Canada, ministère des Affaires indiennes et du Nord, *Étude de la mise en œuvre par le gouvernement fédéral de la convention de la baie James et du Nord québécois,* Ottawa, février 1982.

Canada, ministère des Affaires indiennes et du Nord, *Faits saillants des conditions des autochtones 1986 et 1991 : Caractéristiques démographiques, sociales et économiques,* Ottawa, octobre 1995.

Canada, ministère des Affaires indiennes et du Nord, *Faits saillants des conditions des autochtones 1981-2001.* Partie I : *Tendances démographiques,* Ottawa, décembre 1989.

Canada, ministère des Affaires indiennes et du Nord, *Faits saillants des conditions des autochtones 1981-2001.* Partie II : *Conditions sociales,* Ottawa, décembre 1989.

Canada, ministère des Affaires indiennes et du Nord, *Faits saillants des conditions des autochtones 1981-2001.* Partie III : *Conditions économiques,* Ottawa, décembre 1989.

Canada, ministère des Affaires indiennes et du Nord, *Guide des collectivités indiennes du Québec,* Ottawa, 1990.

Canada, ministère des Affaires indiennes et du Nord, *Historique des traités avec les Indiens* par G. Brown et R. Maguire, Direction de la recherche, Ottawa, 1979.

Canada, ministère des Affaires indiennes et du Nord, *L'Accord entre les Inuits de la région du Nunavut et Sa Majesté la Reine du Chef du Canada,* MAINC-Tungavik, Ottawa, 1993.

Canada, ministère des Affaires indiennes et du Nord, *La Convention de la baie James et du Nord québécois. La Convention du Nord-Est québécois* (Rapport annuel), 1982 à 1985.

Canada, ministère des Affaires indiennes et du Nord, *La Convention de la baie James et du Nord québécois. La Convention du Nord-Est québécois* (Rapport annuel), 1986, 1987, 1988, 1989, 1990, 1991, 1992, 1993, 1994, 1995.

Canada, ministère des Affaires indiennes, *L'Administration indienne en vertu de la législation relative aux Indiens (1868-1951)* par W. Daugherty et D. Madill, Direction de la recherche, 1980.

Canada, ministère des Affaires indiennes, *La Négociation d'un mode de vie* par I. E. La Rusic (dir.), Direction de la recherche, 1979.

Canada, ministère des Affaires indiennes et du Nord, *La Convention de la baie James et du Nord québécois. La Convention du Nord-est québécois* (Rapport annuel), Ottawa, 1995.

Canada, ministère des Affaires indiennes et du Nord, *La Politique des revendications territoriales globales,* Ottawa, 1993.

Canada, ministère des Affaires indiennes et du Nord, *La Politique des revendications territoriales globales,* Ottawa, 1987.

Canada, ministère des Affaires indiennes et du Nord, *La Revendication de l'Arctique de l'Ouest. Convention définitive des Inuvialuit,* Ottawa, 1984.

Canada, ministère des Affaires indiennes, *Le Règlement des revendications des autochtones au Canada (1867-1979)* par R. C. Daniel, Ottawa, 1981.

Canada, ministère des Affaires indiennes et du Nord, *Les Indiens du Canada,* Ottawa, 1990.

Canada, ministère des Affaires indiennes et du Nord, *Les Indiens et les Inuits du Canada,* Ottawa, 1990.

Canada, ministère des Affaires indiennes et du Nord, *Les Inuits,* Ottawa, 1987.

Canada, ministère des Affaires indiennes et du Nord, *Lignes directrices, Plans de mise en œuvre — revendications territoriales globales,* Ottawa, décembre 1989.

Canada, ministère des Affaires indiennes et du Nord, Mohawk Council of Kanesatake, Québec, *Mise à jour sur Kanesatake et Oka,* août 1992.

Canada, ministère des Affaires indiennes et du Nord, *Peuples autochtones, autonomie gouvernementale et réforme constitutionnelle,* Ottawa, ministère des Approvisionnements et Services, 1991.

Canada, ministère des Affaires indiennes et du Nord, *Politique du gouvernement fédéral en vue du règlement des revendications autochtones,* Ottawa, mars 1993.

Canada, ministère des Affaires indiennes et du nord, *Rapport du groupe de travail sur les revendications territoriales. Traités en vigueur : ententes durables,* Ottawa, 1985.

Canada, ministère des Affaires indiennes, *Saskatchewan Treaty Land entitlement framework agreement among Her Majesty the Queen in right of Canada and Throne entitlement Bands and Her Majesty the Queen in right of Saskatchewan,* September 1992.

Canada, ministère des Affaires indiennes, *The Government of Aboriginal peoples,* Ottawa, 1983.

Canada, ministère des Approvisionnements et Services, *Bâtir ensemble l'avenir du Canada* (Propositions), Ottawa, 1991.

Canada, ministère des Approvisionnements et Services, *Peuples autochtones, autonomie gouvernementale et réforme constitutionnelle,* Ottawa, 1991.

Canada, ministère des Pêches et des Océans, *Politique du ministère des Pêches et des Océans sur la gestion des pêches autochtones,* Ottawa (6 août 1993).

Canada, ministère des Pêches et des Océans, *Lignes directrices nationales concernant les procédures d'application des dispositions relatives aux pêches autochtones,* Ottawa (octobre 1996).

Canada, ministère du Solliciteur général, *Politique sur la police des Premières nations,* Ottawa, ministère des Approvisionnements et Services, 1992.

Canada, Statistiques Canada, *Enquête auprès des peuples autochtones,* Cat. n° 89-534, 1993.

F. Cassidy, *Aboriginal self-government,* (1989) Administration publique du Canada 135.

F. Cassidy, *Aboriginal governments in Canada : an emerging field of study,* 23 Revue canadienne de science politique, n° 1, mars 1990, p. 73.

C. Chartier, *In the best interest of the metis child,* University of Saskatchewan Law Centre, 1988.

B. Clark, *Native Liberty, Crown sovereignty,* McGill-Queen's University Press, 1990.

Conseil de la Nation Huronne-Wendat, *Mémoire présenté par Max « One Onti » Gros-Louis, à la Commission d'étude des questions afférentes à l'accession du Québec à la souveraineté*, Assemblée nationale, 6 février 1992.

J. Cossette, E. Gourdeau, F. Jourdain, B. H. Petawabano, A. T. Tullusak, *La Santé mentale et les autochtones au Québec*, Gaétan Morin éditeur, 1994.

P. A. Cumming, N. H. Mickenberg, *Native rights in Canada*, The Indian-Eskimo-Association of Canada, Toronto, 1972.

D. Delâge, *Le Pays renversé*, Montréal, Éditions du Boréal, 1991.

Les Échanges culturels dans l'alliance franco-amérindienne, 1600-1760, étude pour la Commission royale sur les peuples autochtones (inédite).

D. Delâge *et al.*, *Les Sept Feux, les Alliances et les Traités autochtones du Québec dans l'histoire*, étude pour la Commission royale sur les peuples autochtones (inédite).

R. Dupuis, *La Question indienne au Canada*, Montréal, Éditions du Boréal, 1991.

Le Gouvernement du Québec et l'Autonomie gouvernementale des autochtones, étude pour la Commission royale sur les peuples autochtones, 1995, (inédite).

L'Avenir du Québec et les peuples autochtones, Institut de recherches en politiques publiques, Choix, série Québec-Canada, vol. 1, n° 10, juin 1995.

Les autochtones et l'équité en emploi dans *Table ronde nationale sur le développement économique et les ressources*, Commission royale sur les peuples autochtones, Ottawa, 27-29 avril 1993.

Les conséquences juridiques des propositions constitutionnelles fédérales relatives aux autochtones, Comparution devant la Commission d'étude sur toute offre d'un nouveau partenariat de nature constitutionnelle, Assemblée nationale du Québec, *Journal des Débats*, commission parlementaire spéciale, le mercredi 18 décembre 1991, n° 14.

Les Revendications territoriales du Conseil Attikamek-Montagnais, mémoire de maîtrise, École nationale d'administration publique, Québec, 1985.

R. Dupuis et K. McNeil, *L'obligation de fiduciaire du Canada envers les peuples autochtones dans le contexte de l'accession du Québec à la souveraineté.* Vol. 2 : *Dimension intérieure,* Commission royale sur les peuples autochtones, Ottawa, ministère des Approvisionnements et Services, 1995.

R. Dussault et L. Borgeat, *Traité de droit administratif,* t. I, 2ᵉ édition, P.U.L., 1984.

G. Emery, *Réflexion sur le sens et la portée au Québec des articles 25, 35 et 37 de la loi constitutionnelle de 1982,* (1984) 20 Cahiers de droit 145.

T. Flanagan, *From Indian title to aboriginal rights,* (1985) Western Canadian légal history, 81.

C. E. S. Francks, *Public Questions relating to aboriginal self-government* (Background paper nᵒ 12), Institute of intergovernmental relations, Queen's University, Kingston (Ontario), 1987.

Gage, *Rapport du Général Gage concernant l'état du gouvernement de Montréal,* 20 mars 1762, dans A. Shortt et A. G. Doughty, *Documents relatifs à l'histoire constitutionnelle du Canada, 1759-1791,* 1ʳᵉ partie, Archives publiques, Ottawa, 1921.

J. A. Gagnon, *Le Régime de chasse, de pêche et de trappage et les Conventions du Québec nordique,* Centre d'Études nordiques, université Laval, 1982.

E. Gourdeau, *Mémoire portant sur la question autochtone,* présenté à la Commission des questions afférentes à l'accession du Québec à la souveraineté, 11 février 1992.

Grand Conseil des Cris, *Status and rights of the James Bay Crees in the context of Quebec's secession from Canada,* Submission, Commission on human rights, United Nations, 48ᵉ session (27 January-6 march 1992), février 1992.

G. Havard, *La Grande Paix de Montréal,* Recherches amérindiennes au Québec, Montréal, 1992.

D. C. Hawkes, *Aboriginal self-government, What does it mean?* (Discussion paper) Institute of intergovernmental relations, Queen's University, Kingston (Ontario), 1985.

P. W. Hogg, *Constitutional law of Canada* (3rd ed.), Carswell, Toronto, 1992.

J. D. Hurley, *Children or Brethen : aboriginal rights in colonial iroquoia*, thèse de doctorat, University of Cambridge, 1985.

W. R. Jacobs, *Wampum, the protocol of indian diplomacy*, (1949) VI William and Mary Quarterly 596.

M. Jetten, *La Reconnaissance et l'Acquisition de la propriété autochtone en Amérique du Nord (du XVII*e *au XIX*e *siècle) : le cas des nations domiciliées du Canada*, étude pour la Commission royale sur les peuples autochtones (inédite).

R. W. Johnson, *Fragile gains : two centuries of canadian and United States policy towards Indians*, (1991) 66 Washington Law Review 643.

D. Johnston, *Native rights as collective rights : a question of group preservation*, (1989) Canadian journal of jurisprudence 19.

The quest of the Six Nations Confederacy for self-determination, (1986) 44 Toronto Faculty of Law Review 1.

The taking of Indian lands in Canada, Consent or Coercion?, University of Saskatchewan Law Centre, 1989.

A. Lajoie *et al.*, « Le statut juridique des autochtones du Québec et le pluralisme », étude pour la Commission royale sur les peuples autochtones (inédite).

J. A. Long, L. Little Bear et M. Boldt, *Federal indian policy and indian self-government in Canada : an analysis of a current proposal*, (1982) 8 Canadian public policy — Analyse de politiques 189.

Lord Egremont, *Documents concernant l'établissement d'un gouvernement civil dans les territoires cédés par le Traité de Paris de 1763*, dans A. Shortt et A. G. Doughty, *Documents relatifs à l'histoire constitutionnelle du Canada*, 1re partie : *1759-1791*, Archives publiques, Ottawa, 1921.

N. Lyon, *Aboriginal self-government, Rights of citizenship and acces to governmental services* (Background paper n° 1), Institute of inter-governmental relations, Queen's University, Kingston (Ontario), 1984.

P. Macklem, *First Nations self-government and the borders of the cana-dian legal imagination,* (1991) 36 Revue de droit de McGill 382.

Makivik, Groupe de travail sur la justice inuit, Rapport final, *Ouvrir la piste vers un meilleur avenir,* Société Makivik, 1993.

M. Mandel, *La Charte des droits et libertés et la Judiciarisation du poli-tique du Canada,* Montréal, Éditions du Boréal, 1996.

M. D. Mason, *Canadian and United States approaches to indian sove-reignty,* (1983) Osgoode Hall Law Journal 423.

S. McInnes et P. Billingslet, *Canada's Indians: norms of responsible government under federalism,* (1992) 35 Administration publique du Canada 215.

K. McNeil, *Native claims in Rupert's land and the North-Western Terri-tory: Canada's constitutional obligation,* (Studies in aboriginal rights n° 5), University of Saskatchewan Native Law Centre, 1982.

Native rights and the boundaries of Rupert's land and the North-Western Territory (Studies in obiriginal rights n° 4), University of Saskat-chewan Law Centre, 1982.

B. W. Morse, *Aboriginal self-government in Australia and Canada* (Back-ground paper n° 4), Institute of intergouvernmental relations, Queen's University, Kingston (Ontario), 1984.

B. W. Morse, *Comparative assessment of indigenous peoples in Quebec, Canada and abroad,* Mémoire préparé pour la Commission d'étude sur toute offre d'un nouveau partenariat constitutionnelle et la Commission d'étude des questions afférentes à la souveraineté, 1992.

B. W. Morse (dir.), *Aboriginal peoples and the law: Indian, Metis and Inuits rights in Canada,* Carleton library series, Carleton University Press, Ottawa, 1985.

K. M. Narvey, *La négociation de l'autonomie politique des autochtones du Québec et le droit international*, (1984) Revue québécoise de droit international 359.

O.I.T., *Convention (n⁰ 169) concernant les peuples indigènes et tribaux*, Conférence générale de l'Organisation Internationale du Travail, 76ᵉ session, juin 1989, dans « Recherches amérindiennes au Québec », vol. XXIV n⁰ 4, hiver 1994-1995.

O.N.U., *Projet de Déclaration universelle des droits des populations autochtones*, Groupe de travail sur les populations autochtones, E-CN. 4-Sub. 2-1988-24, 1988.

O.N.U., *Projet de déclaration universelle des droits des peuples autochtones*, E-CN. 4-Sub. 2-1992-33, 1992 dans « Recherches Amérindiennes au Québec », vol. XXIV, n⁰ 4, hiver 1994-1995.

Québec, Comité consultatif de l'environnement Kativik, *Le Régime de protection de l'environnement et du milieu social au nord du 55ᵉ parallèle*, Kuujjuak, 1982.

Québec, Assemblée nationale, Commission d'étude des questions afférentes à l'accession du Québec à la souveraineté, *Projet de rapport*, document de travail, Québec, 1992.

Québec, Assemblée nationale, Commission d'étude des questions afférentes à l'accession du Québec à la souveraineté, Assemblée nationale, *L'avenir constitutionnel du Québec. Les relations entre l'État et les nations autochtones*, Québec, juin 1991.

Québec, Assemblée nationale, *Loi approuvant la convention de la baie James et du Nord québécois*, Débats de l'Assemblée nationale, 4ᵉ session, 30ᵉ législature, 21 juin 1976, vol. 17, n⁰ 51, p. 1578.

Québec, Assemblée nationale, *Loi approuvant la convention de la baie James et du Nord québécois*, Débats de l'Assemblée nationale, 4ᵉ session, 30ᵉ législature, 22 juin 1976, vol. 17, n⁰ 52, p. 1590.

Québec, Assemblée nationale, *Loi approuvant la convention de la baie James et du Nord québécois*, Débats de l'Assemblée nationale, 4ᵉ session, 30ᵉ législature, 23 juin 1976, vol. 17, n⁰ 54, p. 1696.

Québec, Commission d'étude sur l'intégrité du territoire, chap. 4 : *Le domaine indien,* vol. 4. 1 : rapport des commissaires, Québec, février 1971.

Québec, Commission d'étude sur l'intégrité du territoire, chap. 4 : *Le domaine indien,* vol. 4. 5 : inventaire des réserves et établissements indiens, Québec, mars 1970.

Québec, Commission d'étude sur l'intégrité du territoire, chap. 3 : *La frontière du Labrador,* vol. 3. 3. 1 : études : J. Rousseau, *Les raisons du rattachement du Labrador à Terre-Neuve en 1763,* inventaire des réserves et établissements indiens, Québec, juillet 1973.

Québec, Commission de négociation des affaires indiennes : *La problématique des réserves indiennes au Québec,* Société de développement de la baie James, Montréal, Québec, 1973.

Québec, Commission de négociation des affaires indiennes, *Deuxième rapport,* 1972.

Québec, Commission de négociation des affaires indiennes, *Premier rapport intérimaire consacré aux recommandations du volume 4. 1 du rapport de la Commission d'étude sur l'intégrité du territoire du Québec,* 1971.

Québec, Commission des droits de la personne du Québec : *Il faut respecter les droits des peuples autochtones et négocier en conséquence avec eux,* Montréal, La Commission, 1978.

Québec, Commission des droits de la personne : *Le choc collectif : Oka-Kanesatake,* été 1990, Montréal, La Commission, 1991.

Québec, *Convention de la baie James et du Nord québécois et les 10 conventions complémentaires,* édition 1991, Éditeur officiel du Québec.

Québec, *Convention de la baie James et du Nord québécois, convention complémentaire n° 11,* 1993.

Québec, *Convention du Nord-est québécois,* 1978.

Québec, *Convention de Chisasibi,* 1978.

Québec, *Convention de Oujé-Bougoumou,* 1989.

Québec, *Convention du lac Sakami,* 1979.

Québec, *Convention la Grande,* 1986.

Québec, *Convention Kuujjuak,* 1988.

Québec, *Convention Opimiscow,* 1992.

Québec, *Convention sur le mercure,* 1986.

Québec, *Entente entre l'association des trappeurs cris, la bande de Chissasibi, la bande de Mistassini, la bande d'Eastmain et le gouvernement du Québec,* 1991.

Québec, *Entente entre le conseil de bande de Restigouche et le ministère du Loisir, de la Chasse et de la Pêche,* 1989.

Québec, *Entente entre le conseil de bande de Restigouche et le ministère du Loisir, de la Chasse et de la Pêche,* 1992.

Québec, *Entente entre le conseil de bande de Kitigan Zibi Anishinabeg, le gouvernement du Canada et le gouvernement du Québec,* 1992.

Québec, *Entente-cadre (routes d'accès) Wemindji-Eastmain,* 1990.

Québec, ministère des Communications, *Plan de développement des moyens de communication en milieu autochtone* par R. Boulay, J.-P. Lamonde et G. Larochelle, Québec, 1982.

Québec, ministère du Conseil exécutif, secrétariat aux Activités gouvernementales en milieu amérindien, *Conférence des premiers ministres du Canada sur les questions constitutionnelles intéressant les autochtones* (1985 : Ottawa), Discours et interventions des membres de la délégation du Québec, Québec, 1986.

Québec, ministère du Conseil exécutif, secrétariat aux Activités gouvernementales en milieu amérindien, *La rencontre des amérindiens du Québec et du gouvernement québécois,* Québec, 1978.

Québec, ministère du Conseil exécutif, secrétariat aux Affaires autochtones, *Le chemin parcouru, Les autochtones et le Québec,* Québec, 1991.

Québec, ministère du Conseil exécutif, secrétariat aux Activités gouvernementales en milieu amérindien, *Le gouvernement du Québec et les nations autochtones du Québec : harmonisation des relations,* Québec, septembre 1985.

Québec, ministère du Conseil exécutif, secrétariat aux Affaires autochtones, *Les actes des colloques régionaux, Pour une politique gouvernementale à l'égard des autochtones,* Québec, 1992.

Québec, ministère du Conseil exécutif, secrétariat aux Affaires autochtones, *Les Amérindiens et les Inuits du Québec d'aujourd'hui,* Québec, 1992.

Québec, ministère du Conseil exécutif, secrétariat aux Affaires autochtones, *Les autochtones et le Québec : le chemin parcouru,* Élaboration de la politique gouvernementale en matière autochtone, Québec, 1991.

Québec, ministère du Conseil exécutif, secrétariat aux Affaires autochtones, *Les fondements de la politique du gouvernement du Québec en matière autochtone,* Québec, 1988.

Québec, ministère du Conseil exécutif, secrétariat aux Affaires autochtones, *Opinions et attitudes des Québécois à l'endroit des autochtones,* Sondage auprès des Québécois, Québec, 1991.

Québec, ministère du Conseil exécutif, secrétariat aux Affaires autochtones, *Organismes prévus à la CBJNQ,* Québec, 1992.

Québec, ministère du Conseil exécutif, secrétariat aux Affaires autochtones, *Pour un débat public, Problématique sur les relations entre les autochtones et les autres habitants du Québec,* Québec, 1991.

Québec, ministère du Conseil exécutif, secrétariat aux Affaires autochtones, *Relations entre les habitants autochtones et allochtones du Québec, points de vue des uns et des autres* par C. Pelletier, J.-R. Proulx et S. Vincent (synthèse), Québec, 1991.

Québec, ministère du Conseil exécutif, secrétariat aux Affaires autochtones, *Rencontre* (périodique), Éditeur Officiel du Québec, 1979-1997.

Québec, ministère du Conseil exécutif, secrétariat aux Activités gouvernementales en milieu amérindien, *Revue de la mise en application de la convention de la baie James et du Nord québécois en territoire cri,* vol I et II, Québec, mars 1986.

Québec, ministère du Conseil exécutif, secrétariat aux Affaires autochtones, *Vers une politique gouvernementale en matière autochtone* par C. Sirros, Québec, 1991.

Québec, ministère de l'Énergie et des Ressources, *L'Application des lois et règlements français chez les autochtones de 1627 à 1760* par M. Ratelle, Les études autochtones, décembre 1991.

Québec, ministère de l'Énergie et des Ressources, *Contexte historique de la localisation des Attikameks et des Montagnais de 1760 à nos jours,* par M. Ratelle, août 1987.

Québec, ministère de l'Énergie et des Ressources, *Étude sur la présence des Mohawks au Québec méridional de 1534 à nos jours* par M. Ratelle, Québec, 1991.

Québec, ministère de l'Énergie et des Ressources, secrétariat aux Affaires autochtones, *Localisation des nations autochtones au Québec — historique foncier* par J. Beaulieu, Québec, 1986.

Québec, ministère du Loisir, de la Chasse et de la Pêche, *Les Amérindiens et les activités de chasse et de pêche* par G. Moisan, Projet de politique gouvernementale, Québec, 1979.

Québec, ministère des Richesses naturelles, *L'Administration du Nouveau-Québec,* Direction générale du Nouveau-Québec, Québec, 1977.

Québec, ministère de la Santé et des Services sociaux, *Les Services sociaux dispensés aux communautés autochtones* (Orientations ministérielles), Québec, avril 1986.

Québec, ministère de la Santé et des Services sociaux. *The James Bay experience, A guide for health professionals working among the Crees of Northern Quebec,* Québec, 1990.

Québec, *Profil sociopolitique des Amérindiens du Québec* par P. Drouilly, Bibliothèque de l'Assemblée nationale, 1991.

Québec, *Protocole d'entente entre le conseil de bande de Gesgapegiag, la Société Cascapédia inc. et le ministre du Loisir, de la Chasse et de la Pêche,* 1991.

Québec, *Protocole d'entente entre le conseil de bande de Uashat — Maliotenam et le ministre du Loisir, de la Chasse et de la Pêche,* 1991.

Québec, *Protocole d'entente entre le gouvernement du Québec et le comité constitutionnel du Nunavik,* 1991.

Québec, *Protocole d'entente entre le gouvernement du Québec et la Société Makivik,* 1991.

Québec, Office de la sécurité du revenu des chasseurs et piégeurs cris, *Rapport annuel 1991-92,* Québec, 1992.

B. Richardson, *Strangers Devour the Land : the Cree Hunters of the James Bay Versus Premier Bourassa and the James Bay Development Corporation,* Toronto, Macmillan of Canada, 1977.

J.-P. Rostaing, *Native regional autonomy : the initial experience of the Kativik regional government, (*1984) 8 Études Inuits, n° 2, p. 3.

D. Saunders, *Aboriginal self-government in United States,* (Background paper n° 5), Institute of intergovernmental relations, Queen's University, Kingston (Ontario), 1985.

J. P. Sawaya, *Les Sept nations du Canada : traditions d'alliance dans le nord-est, XVIIIe et XIXe siècles,* étude pour la Commission royale sur les peuples autochtones (inédite).

I. Scott, *Facing up to Aboriginal Self-Government, Three Practical Suggestions,* Conférence, York University, mars 1992.

Secrétariat de l'Assemblée des Premières Nations du Québec et du Labrador, *Les Droits des Premières Nations au Québec,* Mémoire présentée à la Commission royale sur les peuples autochtones, mai 1993.

A. Shortt et A. G. Doughty, *Documents relatifs à l'histoire constitutionnelle du Canada, 1759-1791,* 1re partie, Archives publiques, Ottawa, 1921.

J. J. Simard, *Développement et Auto-Détermination autochtone : l'expérience de la baie James et du Nord québécois,* mémoire soumis à la Commission d'étude sur toute offre d'un nouveau partenariat de nature constitutionnelle, 1992.

R. G. Sioui, *La Grande Loi du Wampum : Le chemin des Anishnabek,* étude pour la Commission royale sur les peuples autochtones (inédite).

B. Slattery, *Aboriginal sovereignty and imperial claims,* (1991) 29 Osgoode Hall Law Journal 682.

Société de développement inter-nations, *L'Autonomie gouvernementale et la justice en milieu autochtone,* Le Message, vol. 1, t. 1, janvier 1992.

S. Taylor-Henley et P. Hudson, *Aboriginal self-government and social services : First Nations — Provincial relationships,* (1992) 18 Analyse de politiques 13.

P. Tennant, S. Weavy, R. Gibbens, R. Ponting, *The report of the House of Commons special committee on Indian self-government : three comments,* (1984) 10 Canadian Public policy — Analyse de politiques 211.

M.-A. Tremblay (dir.), *Les Facettes de l'identité amérindienne,* Presses de l'université Laval, Québec, 1976.

B. G. Trigger, *Les Indiens, la Fourrure et les Blancs,* Éditions du Boréal/ Seuil, 1990.

B. G. Trigger, *The Children of Astaentsic : a history of the Huron People to 1660,* 2 vol., McGill-Queen's University Press, Montréal, 1976.

JURISPRUDENCE CITÉE

Adams c. la Reine, [1993] R.J.Q. 1011 (C.A.).

Calder c. Procureur-général de la Colombie-Britannique, [1973] R.C.S 313.

Chef Max « One-Onti » Gros-Louis c. Société de développement de la baie James, [1974] R.P. 38.

Côté c. la Reine, [1993] R.J.Q. 1350 (C.A.).

Guerin c. La Reine, [1984] 2 R.C.S. 335.

In re : Eskimos, [1939] R.C.S. 104.

Jones vs Meehan, 175, U.S. 1 (1899)

La Reine c. Adams, [1996] 3 R.C.S 101.

La Reine c. Côté-Décontie, [1996] 3 R.C.S. 139.

La Reine c. Sioui, [1990] 1 R.C.S. 1025.

Simon c. la Reine, [1985] 2 R.C.S. 387.

La Reine c. Sparrow, [1990] 1 R.C.S. 1075.

R v. Secretary of State for Foreign and Commonwealth Affairs, (1981) 4 C.N.L.R. 86 (Engl. C.A.).

Société de développement de la baie James c. Chef Robert Kanatewat, (1975) C.A. 166.

Table des matières

MISE EN PAGES ET TYPOGRAPHIE :
LES ÉDITIONS DU BORÉAL

ACHEVÉ D'IMPRIMER EN SEPTEMBRE 1997
SUR LES PRESSES DE L'IMPRIMERIE AGMV MARQUIS,
À CAP-SAINT-IGNACE (QUÉBEC).